D1270304

LA LOCURA LO CURA
Un manifiesto psicoterapéutico

Ediciones Del Arkan, Tetelpan, D.F. México
La Locura lo Cura, un manifiesto psicoterapéutico

Registro de Propiedad Intelectual: 102.098
I.S.B.N.: 956-242-04-2

Composición y Diagramación: Héctor Peña
Diseño de Portada: Josefina Olivos
Impresión: Andros Ltda.

LA LOCURA LO CURA

Un manifiesto psicoterapéutico

GUILLERMO BORJA

Prólogo y *Post Scriptum Post Vitam* de

Claudio Naranjo

A Claudio Naranjo,
mi amigo y mi maestro

Agradecimientos

A Esther, por su entrega en los momentos difíciles de mi "viaje" al desierto.

A la presencia muda del doctor José Aznar.

A la licenciada Patricia por su confianza incondicional en mi trabajo en la clínica psiquiátrica "La Abadía".

Al silencioso de Alfonso.

A Felipe por haber tenido el talento de darle forma a este libro.

A los amigos, colegas y cómplices de largas noches de juerga y caos donde nos divertimos y sufrimos.

A mis compañeros de lucha y desengaños, mi compadre Cherif y mi hermana Ilse.

Y a todos mis enemigos.

Índice

Prólogo 1

La locura del loquero 11

¿Lo cura su loquero? 39

Tabúes 81

Un toque de locura 117

Los ingredientes de la sopa 123

Notas de musicoterapia 133

Asomarse a lo somático 145

Epílogo 157

Post Scriptum Post Vitam 163

Prólogo

Ya he tenido ocasión de escribir sobre Guillermo Borja en el libro *Gestalt sin Fronteras*[1] donde hablo de él como un perlsiano[2] que no conoció a Perls, y como un digno representante del espíritu de la Gestalt, a pesar de servirse apenas de sus técnicas y de no interesarse en sus ideas: uno que es gestaltista principalmente por encontrar que se puede hacer terapia a través de una fe en la verdad vivida y del coraje de ser uno mismo.

Nuevamente me toca escribir de él, y la ocasión es altamente oportuna, ya que no sólo he sido testigo del contexto en el cual este libro se ha gestado, sino que he tenido que ver con su gestación.

Aunque el libro sea de interés y validez para la psicoterapia en general y expresa la manera de

---

1. Buenos Aires, Era Naciente, 1993.

2. Fritz Perls fue el creador de la terapia gestáltica, tal vez el recurso más potente de la psicología humanista.

hacer terapia que le conocimos a Borja en Europa y Latinoamérica años atrás, es especialmente atingente lo que escribe a una situación que le ha tocado vivir durante los últimos cuatro años.

Pero explicarla requiere que previamente cuente que, cuando lo conocí, su especialidad era la terapia con alucinógenos —habiéndole tocado la oportunidad de una formación con el Dr. Salvador Roquet, con la famosa María Sabina [3] y con un misterioso chamán huichol adoptivo llamado Oswaldo. Tuvo lugar su aprendizaje durante tiempos en que los alucinógenos eran permitidos. Sabemos que hoy la Organización Mundial de la Salud, fuertemente influida por la política estadounidense, ha vetado su uso médico, y a duras penas conservan su libertad religiosa los indígenas.

Descendiente remoto de los Borgia y una especie de Robin Hood que no se detiene mucho ante las reglas y convenciones cuando se trata de ayudar a sus semejantes, Borja continuó durante muchos años celebrando durante el Día de los Muertos —en el desierto mexicano y en compañía de un indio huichol— una ceremonia de peyote a la que acudían no sólo mexicanos sino europeos. Hasta que en noviembre de 1990 fue detenido y condenado a cuatro años de prisión. Es irónico que alguien dotado de tan sobresaliente capacidad de

3. Ampliamente conocida desde el espectacular descubrimiento por Wasson (a través de ella) de los hongos "mágicos" de México.

sanar fuese tan duramente castigado por violación de una ley de "atentado contra la salud".

Desde mi primera visita a Borja en la cárcel mexicana le he instado a documentar su experiencia en ella, pero él es de ésos que son más dados a actuar que a hablar acerca de lo que hacen. Ni siquiera el incentivo de colegas italianos que viajaron con ocasión de un congreso de Gestalt, o de un editor que le ofrecía publicación, pareció tener claro eco, hasta que el Dr. José Aznar me pidió que le conectara con un grupo de Carlos Castaneda, y le sugerí que aprovechase su estancia en México ayudando a Borja en su trabajo. Resultado de su disponibilidad fue la grabación del borrador de este libro, transcrito por un psicótico sin puntuación ni ortografía y luego corregido por Felipe Agudelo. Aunque inspirado en la experiencia del penal, es más bien un manifiesto sobre el quehacer psicoterapéutico, que a la vez refleja la vivencia de una vida y la experiencia más inmediata de atender a los enfermos mentales del penal.

Sólo me parece que falta en esta introducción una visión panorámica de lo que hizo Borja durante sus cuatro años de cárcel, y mejor que yo, lo pueden decir sus propias palabras, grabadas días atrás en sucesivos mediodías, mientras Borja —ahora en libertad— me visitaba en un albergue benedictino (entre Tepoztlán y Cuernavaca) en que yo dirigía un retiro.

"Fui invitado por la subdirectora a que le ayudara a trabajar con los enfermos psiquiátricos, ya que ella tiene mucho contacto con la medicina. Es abogada, pero tiene una relación muy estrecha con los enfermos. Me invitó y dijo que iba a ser muy difícil. Era un edificio abandonado con 72 psicóticos, desnudos, con infecciones en el cuerpo, no tenían tratamiento psiquiátrico, y los pocos medicamentos que tenían los vendían a los otros presos (lo que me parecía muy sano, que no se tomaran esas porquerías). Y andaban deambulando desnudos por todo el penal. La población los violaba, los usaba, los ponía a lavar la ropa, no tenían protección de los custodios. Los médicos no iban, el área de psicología tenía miedo, y ese edificio era el que tenía más alto índice de violencia, de suicidios y muertes. En cada celda —que es para una persona— vivían cuatro. No había agua. Todo el edificio estaba pintado con excrementos. Entonces, cuando yo vi eso, dije: ¡Madre mía purísima! ¿Qué es esto? Era un manicomio del siglo XVI, lo único que no se aplicaba ahí eran los electroshocks, porque no los había.

"Cuando llegué no había vidrios, era una cosa horrorosa. Cuando vi cómo estaba eso, me senté en la puerta en una situación de desconcierto ¿Y qué voy a hacer yo aquí? ¿Qué se hace? Y me senté un mes en la puerta y dije: no entro hasta que se me quite el miedo. A trabajar el miedo. Y un mes me tardé. Cuando entré, yo tenía, al principio, mucho miedo de que me asesinaran. Los locos no tienen este tipo de inhibiciones. Desde que empecé a trabajar allí, no conocía a nadie, no sabía sus nombres. Pensé: lo único que puedo hacer, y no sé si es psicoterapia, es bañarlos, pelarlos. Mandé a comprar una máquina para cortar el pelo. La primera cosa para cualquier ser humano es limpiarlo. Rompí las navajas al cortarles el pelo, no sé qué tenían. Mandé traer una para perros, y ésa funcionó. Quería quitarles los piojos. Los locos estaban locos, y pelones parecían más locos; declarados, de manicomio. Después, vestirlos, bañarlos, cortarles las uñas de los pies, de las manos, y empezar a promocionar ropitas para ellos: calzoncillos, zapatos...

"Era muy apoyado por la licenciada. Esta señora me apoyó muchísimo. El trabajo comenzó a crecer y yo no podía con tanta gente. Se me ocurrió un equipo de apoyo. Era muy bonito pensar que me iban a apoyar, pero no se me apareció ninguno. Pensé que la patología canalizada se podría tornar pedagogía. Aquí fue donde más usé el eneagrama. El rasgo, teniendo un buen empleo, iba a producir, y así lo hice. A cada rasgo iba condicionando actividades. Los emocionales en unas actividades artísticas, expresión corporal, música, baile, teatro, creatividad, poesía. Los intelectuales eran los maestros de la escuela, de disciplina, de gimnasia, de tai-chi. Los que entrenaban eran de la población general, para ayudar a los psicóticos. Tenía un equipo de 18 de ellos. A diario tenían clases. Les llamé 'los maestros'. Empezaron a dar clases académicas. Era un programa de 14 horas al día, muy intenso. Después fuimos creciendo y empezamos una hortaliza, que era parte de lo que comían. Ellos mismos sembraban, cosechaban, Después hicimos una granja de gallinas, de patos. Luego tuve animales como coterapeutas, eran mis perros, una media docena de gatos y otros. Era muy interesante cómo los gatos y los perros por sí solos iban acercándose a un psicótico determinado y se adoptaban mutuamente, tanto el gato o el perro como el psicótico. Y yo veía cosas impresionantes en muchos de ellos. Me acuerdo de uno que era catatónico, con una violencia impresionante, nos pegó a todos; llegaba a fracturarnos. Lo curó un gato. Al principio, el psicótico sacaba a patadas al pobre gato y después se fue metiendo, metiendo, y el gato pasó a ser su hijo. Lo socializó, se encariñó con él, y desapareció la violencia. ¡Impresionante! Después yo tenía un perro. Eran el gato y el perro. E hicieron milagros el gatito y el perrito. Mucho más que el psiquiatra y yo. Ese psicótico pasó de antisocial y totalmente catatónico a ser el jefe de ventas de ciertos productos el día de visitas, y se manejaba muy bien. El jefe de custodios tenía miedo de que él golpeara a alguien allí, y yo creía que no, el peligro eran los otros, los normales, y era cierto. Cada sábado había golpes.

"Unos vendían una cosa, otros hacían otra, cosas sencillas. Pero con esas sencilleces logramos que la comunidad se tornara autosuficiente. Claro, pedía ropa entre los amigos, pero la gran mayoría de los locos ya se compraban muchas cosas: zapatos, etc. Era una comunidad, funcionaba como tal, ellos mismos ya se cuidaban. Cuando llegaba la comida, nadie entraba a dárselas. Al comienzo, el loco más fuerte se llevaba la mejor carne, no había mucho. Todo eso se fue trabajando hasta que ellos tenían que hacer un rol de servir, de recoger. Muy bonito, muy buen avance. Teníamos taller de reparación de ropa, algunos cosían, otros ayudaban. Teníamos el departamento de secretarios que escribían a máquina. Era muy bonito.

"Lo que a mí más me importaba eran dos cosas: la primera, poder integrar mis enfermos a la población general. Eso era algo que me parecía imposible porque iban a estar afuera y habría violaciones, etc., y por otra parte, había los enemigos hacia mí, las envidias, las diferencias que se veían con los más enfermos. No pasó ni lo uno ni lo otro. Los internos, la población de presos me fue teniendo cariño, respeto: yo era 'el Doc'".

CN: "Yo veía cuando venía a verte, que al mencionarse tu nombre, los guardias ponían cara de mucho respeto".

Borja: "Ellos sabían perfectamente que les quité de encima un trabajo que ninguno de ellos quería: ser custodio de los locos. Era un área con muchos conflictos. Tardaron mucho, el área de psicología, la social y el psiquiatra, en estar en su clínica, en estar en la comunidad, ver que allí era su trabajo. Yo los invitaba, pero el psiquiatra tenía una actitud de menosprecio hacia mí, por ser 'delincuente'. ¿Cómo iba yo a enseñarle a él? Y le dije: yo no quiero enseñar a nadie, simplemente quiero mostrarte lo que hago. Y la psicóloga igual.

Pero tenían miedo; terror de estar allí. El estaba asustadísimo, no entendía qué hacía yo, pero veía que funcionaba. Eso es lo primero que me dijo. La segunda es que nunca, en todos los hospitales psiquiátricos, privados, caros, o no caros, estaba así de funcional y de bonito, con un jardín hermosísimo, y locos meditando. Los profesionales no sabían ni lo que era la meditación. Entonces, el psiquiatra se fue metiendo; estaba entre asustado y curioso.

"Claro, cuando empecé a trabajar allí, ponía cara de idiota. ¡Yo trabajando bioenergética! Se asustaba, no entendía nada. ¡Tanto odio que se expresa! No le decía nada. Y así fuimos, hasta que me dijo: '¿Me puedes enseñar?' Y yo le dije 'No'. El replicó: "Pero ya veo que sabes muchas cosas'.

"Entonces empecé a prestarle libros tuyos. El decía: 'no entiendo nada'. Yo: 'Es que esas cosas no entran por allí'. El: 'Entonces ¿por dónde entran?' Yo: 'Por el culo'. El: '¿Qué hago?' Yo: 'La única forma de enseñarte es que seas mi paciente', un garrotazo al ego. Y le dije: 'Te voy a dar clases'.

"Y durante dos meses llegaba a las cuatro de la tarde a sentarse con su cuaderno, y yo nunca le dije nada. Lo que hacíamos era tomar café y Coca-Cola; ésas eran las clases. Me hace gracia que él todavía no les tenía cariño a mis locos; y eran también los locos de él —nada más que a él le pagaban y a mí no. Miedo. La distancia profesional del psiquiatra: ¿cómo se iba a relacionar con un loco? Todos esos prejuicios horrorosos. Y así fuimos. El hacía terapia de grupo, después lo mandé a más entrenamiento afuera, y los logros son buenos, "sorprendentes'".

Solamente me queda hacer votos para que este libro no sólo tenga repercusión en las cárceles y manicomios, sino en la formación e inspiración de psicoterapeutas y lectores en general pues —"de médico, poeta y loco, todos tenemos un poco"... y en estos tiempos de deshumanización y violencia, nos es vital la conciencia terapéutica.

Claudio Naranjo
Berkeley, abril de 1995

La locura del loquero

Es importante que un terapeuta tenga claro por qué quiere serlo. Por lo general nos basamos en motivos vocacionales, sin pensar que dedicaremos un tercio de nuestra vida a nuestra labor y que es allí donde va a desarrollarse nuestra personalidad. También consideramos las identificaciones, con el padre o algún familiar, lo cual es un acto psicológico.

Si decido ser terapeuta, aunque tenga la intención de ser el portador de la salud, más bien porto ya la estafeta de la enfermedad. Solamente la enfermedad puede llevar a curar, lo demás son disculpas o intelectualizaciones. Uno sólo puede ayudar cuando se reconoce enfermo. Por ejemplo, cuando Freud fue al velatorio de su padre y se colocó frente al féretro se desmayó. Él, con su inmensa y genial capacidad de análisis, no podía negar su propio acto fallido. Su negativa a permanecer en pie no era atribuible a su exasperado dolor sino a sus deseos parricidas. Es obvio que se requiere de una genialidad sutil para captar esto.

Los terapeutas deben comenzar reconociendo su enfermedad. A mí lo que me llevó a ser terapeuta fue mi enfermedad. Ayudar a los demás para robarles un poquito de salud. Una actitud de vampiro, de vivir de la enfermedad del otro.

Los terapeutas se lo pasan negando su persona y queriendo ser terapeutas. Para mí, terapeuta es igual a persona. Lo dice Rogers, lo más difícil es convertirse en persona y para ello hay que transformarse primero en monstruo. Ser monstruo es bajar. Anteriormente, éstos se consideraban problemas de moralidad o de orden espiritual; en el siglo actual se los denomina problemas del inconsciente.

Los terapeutas necesitan ser primero pacientes. Deben, en el sentido ético del deber, saber lo que le va a ocurrir a sus pacientes, de otra forma ninguno confiará en ellos. No habrá posibilidad de confianza porque uno no puede hacer creer a los demás lo que uno no cree. El camino de la psicoterapia profunda es haber reconocido el otro camino, llamésmole intuición; pero esto no se dice, sólo se reconoce, se pone de manifiesto con una actitud que el paciente percibe, no a través del razonar sino en otros niveles energéticos... El terapeuta se la sabe, conoce el camino, es confiable y puede aventarse al vacío, sin hacerle trampas a nadie.

No creo en la psicoterapia breve, para mí es como el Mac Donald's de la psicología profunda. Se dedica a curar síntomas. La enfermedad no es sus síntomas. Quien se entretiene con ellos rebusca, neurotiza a la enfermedad. Es evidente que si se atacan los síntomas, el ego se fortifica y saldrá con más sutileza, casi con salud, pero más reprimido, más sofisticado a nivel patológico.

El medidor de un tratamiento es la capacidad que ha adquirido el terapeuta en su trabajo de introspección y en su transparencia como persona. Lo que sucede regularmente es que se intenta disolver la problemática a través del intelecto, pero esto no resuelve nada, y sólo logra la insensibilización de lo humano. Nos volvemos más máquinas, más ordenados, más decentes, más educados y más acordes a la norma establecida. Este enmascaramiento aumenta los niveles de riesgo, nos hace más difícil localizar después a la enfermedad, porque ya no nos sirven de guía los síntomas y se corre el riesgo de que lo que veamos sea una metástasis.

Vivimos en una sociedad enferma. Basta considerar sólo dos síntomas: la insatisfacción y la incapacidad de vivir en paz. Intranquilidad en lo elemental. Todos los valores predisponen a la enfermedad. El éxito se logra a través de la negación de los actos. Pero no son las cuestiones políticas las que hacen que funcione el ser humano, pues tenemos que asumir que es el ser humano el que hace funcionar cualquier política.

Estamos en la época del derrocamiento de lo paternal, de la caída de la figura autoritaria y todo el miedo que su ausencia nos produce. Es necesaria la confianza hacia lo femenino.

No podemos hablar de la enfermedad si no hay capacidad de dudar de lo que uno más quiere, de lo que más estabilidad le da. Si no nos atrevemos a dudar, repetiremos, iremos en una cadena en la que un ciego guía a otro.

Lo que más atemoriza al ser humano es caer en una crisis, porque pone de manifiesto todo lo que está irresuelto: la dependencia, la necesidad, la carencia... No se puede resolver nada profundo si no es a través de una crisis, pues ella misma posee los elementos de la curación. Los procesos terapéuticos deben buscar los momentos de crisis, provocarlos, no irlos suavizando. La crisis del paciente es una estrategia heroica. El ego viene de tal manera disfrazado que parece que sufre, que pide ayuda, pero lo único que intenta es fortalecerse y seguir en el trono. ¡El ego intenta la salud pasando primero por un salón de belleza! Sin embargo, el proceso de la curación pasa por convertirse en un enfermo más enfermo.

Y es ahí donde el terapeuta intelectualiza más, para parecer menos enfermo y tener más control. Si la salud y la verdad no se manifiestan más libremente, no son tales. Si yo tengo que controlar mi pensamiento, mi emoción y mi acción, es que hay algo irresuelto en mí. La presencia y la transparencia no amenazan a nadie, no atentan contra nadie, al ego sí, porque teme perder el control, como si creyera que la esencia humana es mala. La esencia del ser humano es buena, el ser humano es bueno, ¿por qué controlar lo que es bueno?

La diferencia entre terapeuta y paciente es que el primero reconoce su enfermedad, seguirá estando enfermo y no se opondrá a este continuo caminar, mientras el segundo se niega, se quiere quitar la enfermedad y su fantasía es realizar el tratamiento para no ser más un enfermo. La lucha del terapeuta es enseñarle que las cosas suceden y que tener actitud ante la vida es trascender el sufrimiento, trascender la enfermedad, que esto no se va a acabar hasta el día de morir. En lugar de resolver, se trata de fortificar la actitud ante la vida: hay cosas que no podemos cambiar, pero podemos cambiar la actitud hacia ellas. Esto es aceptación, y sólo con la aceptación se acabarán los porqués.

Ahí es donde está el camino del terapeuta. Su verdadero trabajo no es alcanzar una meta sino estar en el camino, no importa dónde se esté, sino cómo se está. El "cómo" es lo que se le enseña al paciente.

* * *

Quiero señalar el gran desconocimiento que los terapeutas se tienen como personas. Es ahí, en ese olvidado campo de desarrollo, donde formará su visión de la salud y su comprensión de la enfermedad. Todos los descubrimientos de Freud se debieron a que él se reconoció enfermo y su mérito no fue otro que el reconocerse, el autoobservarse.

Los terapeutas actuales no tienen la valentía de dudar de sí mismos y de perder el control; dos estados que como mínimo deben vivenciarse, pues son centros del conocimiento profundo que todo ser humano posee.

Presiento que los terapeutas huelen que hacer una psicoterapia profunda pondrá en evidencia, ante sí y sus pacientes, su problemática irresuelta. Ante tal amenaza optan por mantenerse en las orillas de la enfermedad. Unico territorio conocido por ellos, por el miedo a naufragar y quedar etiquetados con sus mismas etiquetas. Que el portador de la salud sea el más enfermo, ¡duro golpe para el narcisismo! No es nada sano necesitar de los necesitados, y peor aún, no reconocerlo.

Reconozcamos como terapeutas que la salud no se puede alcanzar sólo en un proceso terapéutico. La psicoterapia profunda enseña al paciente un nuevo estilo de vida. La búsqueda de sí no tiene como meta una pretendida "salud", sino transformar el camino en meta. No podemos conformarnos con ser funcionales, con ser simples personas educadas, menos podemos aceptar parámetros que sólo nos han brindado insatisfacción y angustia. Las aguas más calmadas suelen ser las más podridas.

La salud es un estilo de vida, no cinco años de psicoterapia. El verdadero terapeuta invita, con su actitud, al paciente a renacer.

La mayoría de los terapeutas fantasea con que sus pacientes no problematicen más a la salud. No se atreven a pensar en movilizar las transferencias negativas y sexuales de sus pacientes, pues esto repercutiría en sus pantanos inconscientes.

A ningún enfermo se le permite que se enferme y que ése sea un estado deseado por él. No es válido que la salud dependa de la satisfacción de los otros y menos de la del terapeuta.

Una pregunta que siempre me he hecho es: Si escucho el exterior, ¿cuáles son mis derechos a ser?

* * *

Tabú de los tabúes es reconocerse persona ante los pacientes. Sin embargo, para mí, éste es el comienzo de una sólida recuperación.

Tengamos presente que a ningún padre le es fácil reconocer su ignorancia ante sus hijos y, por ello, lo único que hace es mantener una imagen que será la causante de la inseguridad de ellos. Estoy seguro que la verdad no daña, al contrario, el yo se fortifica al aceptar la finitud y la imperfección. Este siglo ha fracasado por insistir en vivir de la falsedad, por el miedo a reconocerse tal como se es. La única escuela para ser padre es haber aclarado su posición como hijo ante sus padres, lo cual tampoco es una garantía de poder hacer hijos perfectos. No podemos dar lo que se nos ha negado. Una pareja carente engendra hijos hambrientos y desnutridos, pero no hay padre que acepte esto.

La mayoría supone que "hacer lo contrario", en cualquier sentido, conduce a la salud. A lo único que hemos llegado con esto es a adoptar una fobia al origen del conflicto. Nos perdemos gratificándonos por no ser como nuestros antecesores y fantaseamos creyendo que por "hacer lo contrario" no hemos cometido el mismo error, pero olvidamos que la insatisfacción y la angustia aún están presentes.

***

Los terapeutas llegan a tales como una proyección de su propia enfermedad. Existen tantos miedos como tipos de personas. Hay terapeutas cuyo miedo se basa en saberlo todo, porque traen la bandera de la salud y son responsables de darla. La mejor manera de no reconocer el no-saber es el intelectualizar, el dar siempre una aparente explicación como salida. Se pasan la vida dando explicaciones en lugar de reconocer que simplemente no son. No pueden estar callados y aceptar lo que no saben. Como terapeutas tienen la obsesión de dar respuestas a sus pacientes, para evadir sus propias fantasías y no quedar mal.

El silencio del terapeuta es, en ocasiones, muchísimo más poderoso que el saber. Cuando dos ignorantes se encuentran, lo mejor es callarse, reconocer la ignorancia, tanto del que pregunta como del que no tiene la respuesta. Y que el silencio sea un contacto. Existe el no saber, no sabemos y ni pasa nada. Pero esto es difícil.

Otro tipo de miedo que tienen los terapeutas se refiere a qué hacer si no se tienen pacientes, y qué hacer para conservarlos, pues ellos son los que nos hacen terapeutas. Yo creo que tenemos los pacientes que necesitamos, así como los pacientes tienen al terapeuta que requieren; esto en el sentido de que los miedos de uno y del otro se corresponden, no de que sean los mismos, pues esto no funciona terapéuticamente, aunque ocurre. Un terapeuta pondrá un tratamiento acorde a su patología, no a su salud.

Hablo del miedo al abandono: qué vamos a hacer sin pacientes, qué vamos a hacer con nuestra angustia. Es dificilísimo vérselas con la frustración como terapeuta, pero es más fácil de aceptar que la frustración como persona. Uno puede tener todas las disculpas: que la gente tiene miedo a evolucionar; que la gente no tiene deseos de estar bien. Pero es él quien no quiere estar bien, y es allí donde tiene que enfrentarse consigo mismo, porque no es un problema que tiene como terapeuta sino como persona. El que está siendo abandonado es la persona, quien tiene miedo de no tener pacientes es la persona. Es la persona quien no puede vivir sin el contacto, aunque se justifique con razones profesionales. Por eso a muchos terapeutas no les gusta confrontar a sus pacientes. Pero todo paciente debe tener presente el abandono del terapeuta, pues si no se enfrenta a esto, se repite el ciclo que lo trajo a la terapia, no se ha resuelto el primer núcleo: padre y madre. Es necesario aclarar lo que significa la pérdida o la independencia, pues casi nunca se resuelven estas situaciones de una forma educada, consciente. La gran mayoría de las decisiones importantes son desastrosas, caóticas e intensas, porque no requieren tanta energía como la que se usa en la negación.

Algunos terapeutas tienen el delirio megalómano de ser grandes curadores y viven en la seducción, el deseo de grandeza que tiene todo ser humano.

Es muy importante que cuando el paciente llegue hasta nosotros, seamos honestos con él. Si una persona tiene problemas de seguridad porque es fea, hay que decirle que es fea, que eso no es una distorsión, que no es un problema psicológico, sino algo real. No decirle que lo más importante en el ser humano es la belleza interior... No mentir, trabajar con lo que hay. No negar un problema cuando sabemos que el problema es no aceptar la realidad. Si creemos que una persona no va a llegar hasta donde pretende, más vale decírselo desde el principio, pues al final nos lo cobrará. Estoy convencido que la miel no se hizo para el hocico de los puercos y que muchos no van a realizar su fantasía. Vale más ir por lo concreto, por lo mínimo.

Para mí, el verdadero trabajo terapéutico está en la cotidianidad. Queremos y pretendemos vivir cosas extraordinarias. Lo extraordinario es poder vivir lo diario. No hay que dar ideas y fantasías que el paciente no va a alcanzar. Perseguimos pequeños ideales ajenos, deseos ajenos, frustraciones ajenas, que han sido proyectados en nosotros. Así no vamos a dar el ancho jamás. Tan es así que vamos a terapia no para quitarnos eso, sino para seguir pretendiéndolo. Por eso es tan difícil que el terapeuta se desnude ante el paciente, porque lo han distorsionado todo y lo que se debe hacer es quitar el bienestar neurótico, el bienestar controlado, comodino. El trabajo del terapeuta es despertar el ser humano, sacudir la falsa comodidad interna, el control, la resignación al no-riesgo.

El terapeuta debe tener fe en que, suceda lo que suceda, no pasa nada, no hay tragedia. Si no, el terapeuta se la pasará insistiendo en que el enfermo no se altere, pues si lo hace se va a poner mal y que él lo pase mal por un paciente no está escrito en ningún libro. Tampoco está escrito que el paciente puede desquiciar al terapeuta. Pero si uno no logra desquiciar a su terapeuta, creo que no ha habido ningún contacto real entre los dos. También existe un punto del proceso en que el paciente busca frustrar al terapeuta, juega a que éste ya no es tan buen chango y ya no lo divierte sino que lo aburre.

Otros terapeutas temen el silencio. Al silencio como una recuperación de uno mismo, de estar con uno, de colocarse en el sitio de cada cual y que eso sea suficiente. Para mí, ése es el acto de la terapia.

Algunos terapeutas son moralistas y se la pasan dando órdenes a sus pacientes... "esto está mal y esto está bien y eso va contra usted, y eso va contra su familia"... Pero es un orden basado en sus prejuicios, en el temor al desquiciamiento y al descontrol. Pero, repito: no puede haber salud con control. Aun el caos posee un orden, el centro del huracán es silencioso... el centro requiere del huracán.

Hay quienes son muy buenas personas, muy correctos, muy puntuales, muy educados, muy honorables... así que frente a ellos da vergüenza ser neurótico. Le da a uno mucha culpa, porque cree que no va a dar el ancho. El terapeuta, muchas veces, querámoslo o no, es un símbolo de lo que en nuestra fantasía consideramos como lo perfecto, como lo que se debe ser. Es como si uno intentara ser de acuerdo con quien tenemos en frente. Por eso debemos pedirle al paciente que, con toda honestidad, nos diga cómo nos ve, qué piensa de nosotros, y luego abrirnos, mostrarle todas las posibilidades, explicarle cómo tenemos relaciones sexuales, qué tenemos de malo. Hay que irle haciendo una lista, porque el paciente nunca va a preguntar.

Percibo un error de los terapeutas: creer que somos portadores de la verdad y de la salud. Lo cual es negar que tenemos algo de lo que el paciente nos trae. Esa mentira le llega al paciente y lo culpabiliza. Ahora, si los pacientes nada más tienen capacidad de sufrir y no les damos la posibilidad del placer, creyendo que quien tiene capacidad de placer es malo, lo cual fue el inicio de la enfermedad (que el placer del niño era negativo y por tanto fue reprimido), estamos repitiendo en nuestros pacientes lo que hicieron nuestros padres. Nuevamente, lo que no se aclara se repite.

Hay terapeutas a quienes les interesa que el paciente se mantenga sufriendo. Es como una obsesión, creer que la curación es seguir sufriendo, mantener dolida a la persona en una actitud masoquista, y por tal, muy sádica en el terapeuta. Yo estoy convencido que la curación es el placer. Pero hay quienes se sienten mal cuando el paciente les dice que está muy bien... La consulta puede ser en cambio una plática, un compartir que la vida no está tan mal, que es bonita...

El terapeuta debe ser capaz de romper su rigidez y su miedo, pues no puede enseñar el placer en un diván, en la inmovilidad de 45 o 55 minutos. Debe orientarse al exterior, a la vida. Yo he visto, en 18 años de experiencia, que al consultorio llegan dos egos entronizados: uno que quiere ser gratificado y el otro que quiere gratificar. Y en los escasos minutos que dura la consulta, no se resuelve nada, sólo se fortalecen los egos.

Los terapeutas sienten como un deber el ser personas controladas, tienen un estereotipo de la salud. Creen que una persona sana no puede perder la imagen, no se puede descontrolar a nivel verbal. Mantienen lineamientos de sobre-control.

Como el control no es una alternativa saludable, manifiestan una agresividad sutil, por negar lo que en realidad están sintiendo. A través del control intentan anestesiar el malestar. Pero eso no quiere decir que el paciente no capte el mensaje agresivo. Lo único que logran es enseñarle que el control es salud.

La represión nunca ha sido salud. Es más importante trabajar los contenidos reales de ambos, en el mismo descontrol. Hay que perder el miedo a que ocurra algo espantoso. Por eso debemos empezar trabajando las fantasías catastróficas, pues así se conjura que suceda algo malo. Lo más saludable es decir lo que uno quiere que no suceda, porque callándolo está invitando a que ocurra.

No hay que confundir el descontrol con la destructividad. El descontrol simplemente expresa lo que uno está sintiendo; es darse permiso a expresar lo que uno piensa. Se tiene miedo a soltarse y uno disfraza ese temor con el contenido. Pero el contenido es, por lo general, algo mental, fantasioso. Uno se entretiene con eso, temiendo que si lo expresa va a ocurrir algo catastrófico. Lo cual es una trampa, pues a lo que se tiene miedo es a expresarse, pues se cree que al perder el control uno se volverá destructivo. Simplemente hay que decir lo que llevamos adentro, lo cual da miedo porque uno se abre. Uno está lleno de fantasmas amenazantes: que me van a rechazar, que me van a decir... Pero en realidad uno encubre así el miedo a soltarse.

Si el terapeuta pierde su control, lo que puede suceder es que el paciente pierda el suyo y le diga su verdad. En realidad, el terapeuta teme que el paciente se exprese y suelte lo que tiene reprimido y, además, que al hacerlo descubra la propia represión del terapeuta. Para evitar esto se establece una complicidad: yo no pierdo el control para que no lo pierdas tú.

* * *

Así como hay diversos tipos de pacientes con patologías específicas, existen varios tipos de terapeutas. Así como los pacientes se identifican con cierto tipo de tratamiento, acorde a su patología, los terapeutas se identifican con ciertas escuelas o con determinadas técnicas, porque son más adecuadas a sus posibilidades egoicas y en ellas se sienten más aptos y fuertes. A esta predisposición colabora no sólo su parte sana, sino aquella con un contenido patológico.

Tenemos, entonces, terapeutas muy intensos que se dedican a las confrontaciones, la permisividad y a la liberación de la represión. Son terapeutas que hacen mucho trabajo de desnudo. Son contrarrepresivos. Dan mucha cabida al derecho al placer y a la desobediencia. Lo cual enriquece mucho el proceso de pacientes muy reprimidos. Estos terapeutas son, por lo general, muy recios y fuertes de carácter. Actúan como liberadores, tanto de los represores como de los reprimidos. Pero tienen sus desventajas, ya que tienden a minusvalidar el rompimiento de los pacientes maduros y tienen un exceso de autoridad sobre sus pacientes.

Otros terapeutas son de tipo emocional. Y con su exceso de emoción otorgan permiso a personas muy austeras en la representación o manifestación de sus emociones. Son terapeutas muy fuertes, sin ninguna interiorización del ridículo, que juegan seguido a que en la manifestación de las emociones no pese ningún factor de represión. Al tiempo que trabajan lo emocional hacen énfasis en el trabajo corporal. Trabajos de tipo reichiano con más presencia emocional. Estos terapeutas también tienen sus bemoles, pues los pacientes caen en una actitud catártica continua, como si todo el proceso se redujera a la expresión de emociones de una manera obsesiva, sin dar cabida a ningún razonamiento. Simplemente enfatizando la expresión emocional hasta el cansancio.

Hay terapeutas que ponen énfasis en la capacidad de abstracción y en lo verbal. Trabajan el pensamiento y tienen una dirección muy mental, en el sentido de que todo debe pasar por el proceso de análisis. Este proceso tiene sus ventajas porque logra una interioridad, ya que los pacientes tienden a abusar de la capacidad emotiva, lo que los lleva a una incapacidad de pensar. Estos terapeutas enseñan a desarrollar la capacidad crítica, el autoanálisis y la observación.

Otros terapeutas tienen un estilo muy normativo, con mucha conciencia de no extralimitarse de lo que marca el orden social. Estos son muy funcionales para pacientes que se desbordan en la acción con mucha facilidad, pues los ayudan a interiorizar la importancia de no invadir a los demás. Son terapeutas de contención, de norma; trabajan muy bien los límites y las fronteras. Utilizan mucho su capacidad analítica y la muy rogeriana capacidad de empatizar. Antes del desbordamiento se llega a buenos acuerdos, a buenos contratos, a buenos arreglos. Es obvio que este tipo de terapeutas también tiene sus contradicciones, porque se presenta una imposibilidad de equivocarse, una actitud muy superyoica de ser el niño bueno, el niño regañado, y tienden a ser rígidos.

Hay quienes trabajan las áreas corporales de la autovalía, en función de un buen vivir la vida, de reconocer el derecho a las cosas y placeres. Son terapeutas de la deficiencia, y con ellos los pacientes llegan a acercarse mejor a la realidad, a sus derechos y a su propio placer. Hacen un buen trabajo terapéutico de diversidad de roles. Trabajan con el cuerpo, el masaje, y utilizan también las terapias norteamericanas de autoafirmación. El problema de estos terapeutas es que no tienen la profundidad suficiente: son superficiales, de mucho bienestar eufórico, como si tuvieran la compulsión de estar bien, de manera muy rápida, tal como si conocieran los catorce pasos hacia la libertad o la felicidad. Caen en una rigidez metódica.

Existe otro tipo muy apto para trabajar con la ternura, la receptividad, la emotividad y, sobre todo, la capacidad de entrega que se manifiesta en el dar y el recibir. Son terapeutas muy emotivos y cálidos, adecuados para pacientes muy austeros en su expresión amorosa o del estilo "muy macho mexicano". Estos aportan mucho con su sola presencia. Al mismo tiempo se dedican a la sensibilización, trabajan con el psicodrama, con el cambio de roles, encarnando cada uno de los roles afectados. Pero, así como hay tanto drama, ocurre que se establecen grupos terapéuticos de inmovilidad y aislamiento, construyen una isla feliz y se retroalimentan mutuamente, hasta alcanzar una simbiosis bienhechora. Este tipo de terapeuta tiende a ser muy posesivo con sus pacientes y a imposibilitar los rompimientos, porque siente temor al abandono, por lo que intenta hacer una buena familia con el grupo. Ese es a mi juicio el riesgo principal con este tipo. Por lo demás, son muy sensuales y otorgan mucho permiso a la sexualidad. No censuran. Pero no dan una libertad que permita la independencia.

Otro tipo de terapeutas invita a un alto grado de desarrollo de la intelectualidad, con una gran libertad de expresión al paciente, lo cual es muy positivo. También son muy tolerantes y aceptantes, son suaves en sus opiniones y confrontan con pensamientos muy sutiles. Este tipo trabaja mucho lo sutil, lo invisible. Pero también tiene su problemática: como se dedican mucho al área intelectual, así sea a través de artes propios de las culturas orientales, hacen mucho hincapié en no tocar el ego. Así como otros terapeutas tienden al exceso de manifestación del ego, ellos tienden a no hacerle caso, a no invitarlo, a negarlo, por lo cual se da una represión importante y no hay la posibilidad de la expresión o la catarsis, lo cual es una gran limitante. También hay poco contacto, una especie de presencia ausente, pues se dedican sobre todo a meditaciones y trabajos muy intelectuales y analíticos.

Otras terapias se enfocan a áreas esotéricas como la astrología y el tarot, las cuales dan vuelo a la imaginación de los paciente, a la creatividad, a la libertad. Dan incluso oportunidad de explorar mundos fuera de la razón. A través de la creencia en la influencia de los astros, logran disolver conflictos aquí en la tierra, moviéndose a niveles arquetípicos. A través del trabajo sobre un planeta, pueden limpiar las patologías de las figuras internas del padre y la madre. Es más fácil trabajar con algo arquetípico que con algo terrenal. Estos son caminos un poco engañosos, se trabaja lo personal proyectado a un nivel cósmico. El trabajo es válido y profundo, pero puede darse una desconexión, un aceleramiento de la fantasía, poco contacto con la realidad terrena, tender a quedarse muy arriba y a devaluar lo cotidiano. Ese es el riesgo, ver sólo las influencias planetarias y negar las terrestres. Como si el mundo les quedara pequeño, entonces se disparan fantasías y se reciben mensajes de extraterrestres, lo cual termina llevando a los pacientes a una ruptura total con su realidad.

Otros terapeutas basan su estilo en una gran capacidad de ser receptivos y permisivos. Tienen una actitud hedonista hacia la vida, son unos gozadores que tratan de no quedarse mucho tiempo en los problemas y conflictos. Encuentran siempre una salida, son muy hábiles de tener en la puerta de atrás una posibilidad de escape. Estos terapeutas por lo general tienen una notable capacidad de juego, en cosas muy simples y elementales. Son buenos terapeutas infantiles, buenos terapeutas corporales, buenos pedagogos. Pero tienden a huir de los problemas, de forma exagerada. Son escapistas.

Como conclusión, podríamos decir que existen tres grandes estilos. Los primeros con una gran habilidad para trabajar con la emoción, lo que lleva consigo la capacidad de expresar y exteriorizar, que se basan en el contacto, en terapias corporales, poco racionales, apoyados por su capacidad de presencia, su gran capacidad de vivir el presente y de gozarlo. Los segundos trabajan el pensamiento con orientación al pasado; hacen un trabajo analítico muy demorado, porque dan mucha importancia a todos los detalles de cada situación y relación. Finalmente, hay otros terapeutas que se concentran en la acción, valorando mucho los impulsos y la realización de los deseos. De esta manera vemos que para ellos lo más importante es realizar el deseo, para los otros es analizarlo antes de satisfacerlo, y para los demás lo fundamental es poder expresar el deseo.

Por experiencia sé que cada paciente, en su primer intento de buscar la salud, va a ir hacia el terapeuta que menos lo conflictúe. Porque en los procesos psicoterapéuticos hay una serie de etapas, de escalones que es muy importante ir fortificando a medida que se avanza. El primer terapeuta será el encargado de poner los cimientos, de levantar la primera estructura, aceptando la caída de todo el edificio, de todo el ego. Para eso es necesario fortalecer las cosas más primitivas y elementales. Por esto, los pacientes localizan, sea por intuición o casualidad, el terapeuta que corresponde a esta etapa. Regularmente, los pacientes muy racionales buscarán comenzar con terapeutas racionales, los emotivos con emotivos y los motrices con sus correspondientes. Pero ése es el primer paso y, tarde o temprano, si hay una evolución, tendrán que revisar las áreas de carencia. Por esta razón he sostenido que un solo terapeuta no puede tener el monopolio de la transferencia, pues esto es dañino. En un momento dado sucede lo mismo que con los mecanismos de defensa, son los salvavidas de la infancia y los enemigos terribles de la edad adulta. Así que estoy a favor de la transferencia múltiple, donde hay todo tipo y estilo de terapeutas, porque esto permite un mayor desarrollo de los centros internos que se han inhibido por una serie de circunstancias. A mayor posibilidad de contactar con diversos estilos, habrá mejores oportunidades de apertura y maduración sana del paciente ¿Por qué? Porque eso sucedió en la familia, la madre tenía un carácter, el padre otro, los hermanos otro, etcétera. Y lo que intentamos es hacer una regresión para revisar esos caracteres y alcanzar un balance con lo que tenemos inhibido, atrofiado o desconocido en el proceso de vivir. Por esto considero muy importante un proceso donde se ofrezca la posibilidad de una transferencia múltiple.

Es importante que los terapeutas hayan recorrido los tres caminos, las tres sendas de la psicoterapia, que hayan trabajado su emoción, su acción y su pensamiento. Ese es el trabajo que uno tiene que adelantar para ser terapeuta y para ser persona, tiene que alcanzar un desarrollo congruente de los tres centros.

Si se le hacen demasiadas concesiones a una técnica, de seguro se estarán descuidando otras áreas de desarrollo. Por ejemplo, es imposible trabajar el cuerpo a través del análisis, como tampoco es posible analizar la mente a través del puro trabajo corporal. Cada una de las técnicas es una mina de riquezas, pero no es la solución total. Para arribar a la totalidad, hay que trabajar las tres áreas porque los problemas de la vida son males afectivos, males del intelecto, males de la acción. Hay que trabajar todo.

Los distintos estilos de psicoterapia no son más que diferentes tipos de psicopatología. ¿Por qué me identifico con el psicoanálisis, la terapia confrontativa o la reichiana? Porque corresponde a mi psicopatología. Creo entonces que debemos retomar un principio más esencial e importante, preguntándonos por los creadores, ¿quiénes fueron Freud, Perls, Reich? ¿Quiénes fueron ellos? Porque su propia teoría no fue más que el descubrimiento de su propia enfermedad. Por ejemplo, Freud, que era una persona cobarde en cuanto al contacto corporal, que vivía en un ambiente muy represivo, desarrolló su trabajo a través de la distancia, pero manejándola con tal destreza y maestría que lo llevó a la salud. Fue su propia patología la que lo orientó a sus notables descubrimientos, la que le permitió determinar su teoría, su escuela y su trabajo. Esto mismo vale para Jung y su interés en lo cósmico y arquetípico. Igual sucede con el psicodrama, pues Moreno era dramático y muy expresivo, tenía la habilidad psicodramática de representar diferentes papeles. Tenemos pues que indagar la esencia de donde surgieron las diversas escuelas, que no es otra que la patología de los maestros. Ellos reconocieron su enfermedad y se dieron cuenta de cómo trabajarla.

Esto es importante para quienes se creen muy doctos por haber recibido una formación intelectual académica. Porque lo importante es que el terapeuta conozca el origen de la escuela que sigue. Las escuelas no fueron creadas a través de deducciones mentales, sino que son fruto de arduos y profundos trabajos personales. Trabajos de autoconocimiento, implicándose y comprometiéndose consigo mismo en su trabajo. Esto fue lo que los llevó a comprender que si había funcionado para ellos, podría servir para otros. Esa es la importante labor de los grandes hombres: han aportado su experiencia. Han aportado su sufrimiento, han aportado el logro de haber podido. Y ese poder no se alcanza yendo a un cursito o leyendo un librito.

Si uno se considera discípulo de algún maestro, lo más importante es que averigüe qué hizo con su vida, por qué llegó hasta cierto punto. Yo creo que la verdadera enseñanza es que ellos fueron ellos mismos, que pudieron ser. Por eso no se trata de seguir al pie de la letra sus ejercicios, porque ni la entrega ni la capacidad afectiva se logran con esto. Lo que debe hacer el terapeuta es mostrar lo mismo que mostraron los grandes hombres: entrega y disposición al riesgo. Así serán útiles los ejercicios, pero hay que romper el ejercicio para descubrir su valía. Allí donde el ejercicio no puede hacer nada, sirve la presencia terapéutica, el estar presente mostrando que uno sí pudo. Eso se llama confianza y experiencia. En la experiencia está la salud.

Es obvio que el trabajo de psicoterapia exige un alto grado de responsabilidad y compromiso. Uno no se prepara en cinco años, uno no se prepara con un doctorado, porque así sólo ha adquirido conocimientos académicos, los cuales no son la curación. La verdadera preparación es el camino, y el camino es la vida misma. No se puede estudiar para persona. No se estudia para dejar de tener conflictos y sufrimientos. Hay que hacer un gran trabajo en lo personal. Pues lo central de un terapeuta es que tenga presencia y que sea congruente, que no resulte un fraude. Estando presente reconoce el camino que el otro va a comenzar como un guerrero de la vida. El terapeuta es como un viejo que ya recorrió el camino, y ésa es una actitud que no se puede transmitir en palabras. La presencia misma son las arrugas que tiene, las heridas cuyas cicatrices son visibles para el paciente. La presencia da confianza y da la posibilidad de continuar, de saber que uno va bien. Porque al entrar en una psicoterapia profunda, la única curación que uno puede brindar es que uno ha reconocido el sufrimiento de uno mismo, el dolor en uno mismo y los ha trascendido. Entonces, está bien dominar una técnica, está bien haber realizado un aprendizaje intelectual y formativo, pero un buen terapeuta debe soltar los instrumentos, debe arriesgarse a soltar la técnica y a apoyarse en sí mismo. La técnica no cura, quien cura es la persona. Ahí hay una devaloración, los terapeutas piensan que pueden curar por sí mismos. Y eso es una gran mentira. Nadie cura por la técnica que maneja. Uno es la gracia. Uno es la bendición. El curador es uno. La gracia de los grandes terapeutas ha sido ser ellos mismos. Esa fue su lucha y con eso curaron. Esa es la enseñanza y el mensaje: ser nosotros y no imitar a nadie. Ahí está la curación. Porque en definitiva, si uno no se reconoce como una bendición de la vida, como una gracia, no existe autorreconocimiento, lo cual repercutirá en el paciente. Yo creo que sólo cura el que se atreve a hacerlo. No hay técnica para eso, sólo actitud. Y sólo pueden tener actitudes las personas, los hombres completos, las mujeres completas. El que se reconoce a sí mismo puede reconocer a los demás.

Yo invito a los terapeutas a que se pongan frente al paciente y permitan que su material de trabajo sea lo que suceda, que lo que acontece sea la alternativa que ambos están dando al trabajo. Para eso es importante que rompamos con las pretensiones y con los programas de realización del ser. Olvidar las estrategias terapéuticas. Olvidar los jueguitos. La presencia y lo que sucede es lo único con lo que es posible trabajar. Lo demás son fantasías, lo demás son pretensiones.

Nadie puede ir al paso de nadie, cada quien debe andar su camino a su propio paso. El único que sabe dónde está es el cliente, el único que puede reconocer si quiere trabajar es el paciente. Tenemos que escucharlo, pero escuchándonos. No hay que ver sus imposibilidades, sino nuestra incapacidad de aceptárselas debido a nuestra ansiedad, pretensión e impulsividad. Queremos que el paciente salga de donde no quiere salir. Nuestra incapacidad de ver eso, y de aceptarlo, es parte de nuestra enfermedad, no de la suya. Dar libertad. Esperar que la última palabra sea la de él y no la nuestra. Que sus miedos sean sus miedos y sean suyas sus fantasías. Que la resolución de su conflicto le pertenezca. Todo esto sólo se puede lograr a través de la permisividad, del respeto a sus silencios, a su aburrimiento, a su egoísmo, a su narcisismo, a su invalidez, a su menosprecio, a su vanidad. Tan sólo si le damos cabida a esto, recibiéndolo y observándolo sin enjuiciar, estaremos hablando de un tratamiento profundo. Nuestras pretensiones no son más que impotencia, señales de un ego muy demandante. La seguridad se manifiesta en la confianza. Es, pues, muy importante curar, no como un acto de soberbia, sino porque reconozco mi camino, mi meta, mi sufrimiento, y reconozco el dolor de no haber alcanzado aún el final. El trabajo del terapeuta requiere de mucha humildad. La lucha se da hasta la muerte.

¿Lo cura su loquero?

Muchas veces me han enfrentado a una pregunta que inquieta a algunas personas: ¿Hay terapeutas que hacen daño a sus pacientes? Es una cuestión de doble vía. Yo creo que cada cual tiene el terapeuta que necesita, ni más ni menos. He visto a muchos pacientes renegar de sus terapeutas, pues han tenido con ellos una mala relación. Pero independiente de que existan malos terapeutas, existen malos pacientes. Hay pacientes que van a hacer un trabajo a medias. Es el caso de muchas mujeres que sufren un desengaño, como pacientes les falló la corazonada, pero se puede descubrir que eso era lo que querían, andaban buscando la decepción. No creo que por el hecho de ser terapeuta se adquiera el poder de dañar a otros. Ningún paciente evolucionará más allá de donde haya llegado el terapeuta. Pero no hay que sobrerresponsabilizar al terapeuta. Si el paciente quiere detenerse en un punto, el terapeuta debe reconocerlo y no buscar justificaciones al hecho. Debemos reconocer que nadie es bueno para todo, ni todos son buenos para uno. Ningún terapeuta tiene el poder de llevar a sus pacientes a la destrucción, al suicidio por ejemplo, a no ser que él mismo esté en una situación personal igual. Entonces, no se puede responsabilizar más a uno que a otro, los dos están en un mismo nivel.

Es como la cuestión de acertar al escoger a un maestro. Algunos encuentran un charlatán, pero sucede que requieren uno. Hay que responsabilizarse de lo que uno busca. No justificar al paciente ni al terapeuta. Yo no creo en las decepciones del paciente, lo que veo es que éste no quiere reconocer la realidad. El paciente es responsable de lo que buscó y encontró. No vale que se justifique por su ignorancia. El terapeuta no sabe más que él, es humano y también está enfermo. Hasta donde quiera llegar el terapeuta es su responsabilidad, pero no puede llevar a un paciente más lejos de donde quiere ir. El paciente toma su decisión personal. Pero los dos comparten riesgos. Tienen las mismas posibilidades que en cualquier relación. Estoy convencido de que todas estas personas que salen mal con sus terapeutas, están manifestando la manera cómo acaban todas sus otras relaciones, siempre culpando al otro y a lo externo. Es difícil reconocer esto, y es justo ahí donde puede comenzar un buen trabajo de psicoterapia profunda. Porque si la persona salió mal librada, si su ego salió mal parado, es ésa la mejor ocasión para trabajar, revisando esa imposibilidad de aceptar la frustración. Así que cada cual tiene lo que requiere y lo que ha buscado, tanto el paciente como el terapeuta. En esto ocurre lo mismo que con las parejas, los dos ganan o los dos pierden. Si hubo dos decisiones de amarse y de entregarse, al final habrá un mismo dolor, no puede ganar uno y perder el otro, simplemente no se pudo. El encuentro fue de dos personas y la separación va a ser de dos. Ninguno es más responsable que el otro; ninguno de los dos es el más enfermo.

***

El terapeuta no pone énfasis suficiente en que el único y el que más sabe por dónde va el proceso es el paciente mismo. El paciente es quien mejor conoce su problema, él sabe dónde tiene que colocarse. Por alguna razón pregunta, por algo se encuentra en determinado lugar.

Es importante preguntarse por qué vino a uno el paciente. No fue por casualidad. La empatía corresponde a una situación holística. Hay que estar atento a ese porqué. Las fantasías y las movilizaciones inconscientes no son disculpa. Por eso es necesario que el paciente diga por qué se decidió, por qué escogió. Hay que ponerlo en claro, manifestarlo, pues la causa que lo motivó a venir puede convertirse en la bandera que utilice, más adelante, para rechazar al terapeuta. Al paciente se le olvida por qué vino. También, el terapeuta se puede aferrar a que el paciente no lo sabe, pero no es verdad.

Cada pregunta contiene su respuesta. En el acto de preguntar hay una intención de autoconvencimiento y de búsqueda, que es muy sana. Como sano es el niño que a los seis años comienza a cuestionar, porque está investigando y siente curiosidad; se ha dado cuenta que el mundo no es él, que él es uno más y no conoce nada, pero desea conocer; hace preguntas. Al paciente hay que saber devolverle la respuesta, irle enseñando que cada pregunta que hace tiene una respuesta ya conocida. El paciente pregunta para permitirse expresar lo que le inquieta. Ya tiene la información. El adulto busca reconocerse, recordar lo que ya sabe. El terapeuta debe estar atento porque la pregunta anticipa, anuncia lo que viene en seguida, lo que está pasando del inconsciente a la conciencia. La pregunta es simbólica, tiene muchos signos, no es clara, aún tiene una parte inconsciente, pero la respuesta está ahí.

* * *

La locura es una autocuración. Lo que importa al buscar es la búsqueda misma. El paciente se da permiso y el terapeuta también. Los dos llegan ahí inconscientemente. El verdadero trabajo terapéutico es que ambos deben despertar y deben llegar a este estado de manera consciente. Ninguno de los dos tomó el camino de la conciencia, del encuentro con uno mismo, de la búsqueda de sí. Ninguno de los dos se reconoció como enfermo desde un principio. Ambos han errado el camino en una forma y tendrán que retomarlo a través de la conciencia, deben picar piedra y ser honestos, no intentar ayudar al otro por ayudarse uno. Hay que ayudarse primero uno mismo para poder ayudar a otros. Los dos han hecho un intento inconsciente, ahora deben regresar al camino, regresar a la conciencia.

El paciente busca al terapeuta que su momento requiere. Desde el inconsciente los dos se sintonizan en la búsqueda, sea de la verdad, la realidad o la profundidad. Es obvio que hay terapeutas con poca profundidad, con una serie de problemas irresueltos que les impiden resolver y que atraerán pacientes con esta misma problemática. Hay mensajes en niveles que no podemos medir o explicar, ver u oír, pero que percibimos. Un terapeuta que lleva a su paciente a una mayor profundidad de la que busca, lo aborta. Yo creo en el encuentro y que éste es parte del proceso, que hay que pasar por ahí.

La química personal me enseña que cada vez que uno, como terapeuta, entra en la limpieza, aceptando perder todo, perderse en el encuentro con uno, escucharse y vérselas consigo mismo, se incrementa la salud y la confiabilidad, porque ésas son las credenciales nuestras, no los diplomas que adornan el consultorio, no los cursos que se han tomado. Estos son importantes, pero nadie llega a la confianza a través de una técnica, ni nadie puede lograr la autovaloración tomando un curso. Si así fuera, hace tiempo viviríamos en el paraíso.

Es bueno señalar que no se trata de haber resuelto todo para poder estar en disposición de sanar. La salud no es una meta, es una actitud. La salud no es cumplir con ciertas conductas establecidas, es poder aceptar las conductas que no nos gustan y que no agradan a los demás y que, sin embargo, tenemos. Es muy claro que la salud no es conducirse de cierta manera.

En muchos casos, la actitud sana, la paz interior, pesa a quien vive con nosotros, a quien comparte nuestra vida. Es como la independencia que fastidia; como el amor que molesta. Así a veces tenemos una conducta sana y ésta molesta a los demás y por tanto perdemos lo que más queremos. Perdemos sin que tenga que ser así, sino debido a que el crecimiento es un problema individual y no de pareja. Nunca he podido encontrar un problema de pareja, siempre se está ocultando una problemática individual que está motivando el descontento de la pareja.

El amor tiene un ciclo de cuatro estaciones. La primavera es el brote de todo, es el nacimiento del dar; la primavera disminuye el ego; la primavera es ceder, es muy bonita, agradable, confortable. En la primavera bajamos nuestras defensas, nos ponemos dulces, tiernos, cariñosos, damos presencia, sobrevaloramos o reconocemos la justa valía de la otra persona. Lo malo es que cuando la primavera termina, llega el verano. El verano es ardiente y pasional, requiere de otros elementos para mantener viva la naturaleza, época de lluvias, de plagas. Todo empieza a salir, las plagas propias y las de quien tenemos en frente. Llega el otoño y éste es aún más severo, más extremo, intenso y ávido. Tiene una avidez que pone de manifiesto la carencia. Empezamos entonces a almacenar y ya no queremos dar. Así alcanzamos el invierno, la renuncia de la primavera, el comienzo de la crisis final, el desamparo y la soledad. Nos volvemos más demandantes.

Estos mismos pasos los sigue una terapia. Es muy bonito ir en busca de la salud, pero es muy difícil aceptar el tiempo y la atención que se requieren. Además, esta búsqueda es también una enfermedad, es un tener que agradar. Hay que cruzar las cuatro etapas para lograr una transformación terapéutica importante y que el ego deje de pelear, para que ya no hagamos problemas del problema.

Quiero hacer hincapié en que es la actitud de apertura, honestidad, reconocimiento y aceptación la que invita al paciente. Los dos deben involucrarse, trabajar juntos en lo conocido por uno y por otro, en lo desconocido por ambos. De esto se trata. La labor será mutua y la curación también. El terapeuta debe permitir la decisión y la determinación del paciente y evitar ponerse como modelo de imitación. Sabemos que la enfermedad del paciente proviene de una imitación. Digamos que la originalidad es salud. El niño necesita imitar, pero el adulto debe tener libertad interna y conciencia de estar dirigiendo su vida, sus emociones, sus pensamientos. Esta es una actitud que no enseña ninguna técnica, que sólo se revela recorriendo el camino y asumiendo que la vida hay que vivirla.

Aunque no lo dicen explícitamente, la mayoría de las corrientes o escuelas de psicología tienen la norma implícita de no dar información al paciente, no abrir la puerta para que vea nuestra vida. Esto lo considero muy negativo, pues sostengo que la transparencia invita a la realización del paciente. Además, que no hay nada que ocultar en la vida es parte importante de lo que uno está tratando de enseñar al paciente. Uno trata de lograr que el otro haga su vida y nada va a pasar... La distancia es innecesaria, es miedo, es negar algo que queremos ocultar, lo cual no es muy terapéutico. Es más fácil no ocultar, es más sencillo ser natural y simple; es mejor acortar el camino y no esperar que el paciente, a través de sus fantasías, llegue a una conclusión que nosotros le podríamos mostrar. La salud está sostenida por la simpleza, por dejar ver, por permitir que se acorten las rutas. La sencillez es ver lo que tenemos nosotros y cómo vivimos.

Estoy convencido de que la esencia de la conducta es energía. La palabra sigue a la razón, pero hay muchos campos de energía que llevan otros mensajes a través de la emoción. Todo es más patente en nuestro cuerpo. Podemos callar la boca, pero el cuerpo no. Está presente. Se le ven las contracciones, el estrés y la deformación corporal. Poniendo atención a la falta de tono muscular, a la flaccidez o a la gesticulación, cualquiera puede tener una lectura de la persona que tiene al frente. Así el mensaje llega y se da por recibido y no hay posibilidad de escape. No hay posibilidad de no ser, de no ponernos en evidencia y de negar lo que somos. Entre más inconsciente sea este proceso, más estaremos invitando a la inmovilidad del paciente, a su deseo de no lucha. Si percibimos todo esto, nos daremos cuenta que el terapeuta no puede ocultarse, no puede ir en pos de la falsedad y considerar el qué dirán. No puede ocultar su ser. En todo esto está uno de los nudos ciegos de los terapeutas que utilizan técnicas de ocultamiento y disculpas de ética. La negación no es la disolución del conflicto sino su confirmación.

Una norma de oro a seguir es que quien cura es el terapeuta, no la escuela o la técnica, sino su actitud, su capacidad de entrega a la vida y de lograr la confianza de los demás, su esencia y no otra cosa. Claro que las técnicas son caminos, pero hay un momento en que se hace necesario soltarlas. Cuando entramos a los desiertos de los trabajos profundos, tenemos que quedarnos solos, atenidos a nuestros propios medios. Y los medios son también las limitaciones, la desconfianza. Esos son recursos que el terapeuta debe usar y el paciente utilizar como una brújula. Esto no se dice, se siente, e insisto, se transmite con la presencia.

Es innegable que uno diagnostica a través del razonamiento y que quizás esté bien establecido. Pero todo esto es mental, intelectual... Sin embargo, el tratamiento lo va a hacer el inconsciente, el terapeuta como persona. Por eso tenemos que estar muy alertas: quién contesta, quién eleva la mano, quién indica, quién aconseja, a qué se está invitando al paciente.

***

Continuamente los terapeutas estamos obsesionados con tener que hacer algo con los pacientes. Como supuestos portadores de la salud, tenemos un sentido del deber que no es más que una etiqueta que nos hemos colocado debido a un hondo sentido de autodevaloración. Creo que es en estos núcleos donde yo-persona-terapeuta puedo ofrecer a mi paciente un incentivo para que ambos nos aclaremos y que el crecimiento sea mutuo. Acompañar es hacer terapia.

¿Por qué hacer algo por los pacientes? ¿Por qué tener que cambiarlos? Creo que sólo podemos acompañar al paciente hasta donde él lo desee. No puede haber programación para el encuentro con uno mismo. La transformación del ser no es programable y sólo a través del acompañar por los caminos de la vida seremos testigos del presente continuo. Para poder caminar hay que manifestarnos como somos y ahí, en el momento que somos, observarnos sin juicio y sin aprobación. Lo usual es hacer lo contrario. La enseñanza de los grandes hombres está basada en su propia vida y no en bibliotecas. La mayoría de los terapeutas curan desde su fobia a su propia enfermedad, y muy pocos desde la aceptación.

Lo único que puedo enseñar a mis pacientes es mi actitud ante mi vida. De la misma manera que como padre sólo podré enseñar a mis hijos mi propia relación hacia mis padres.

Tengo muy presente que dejé de cambiar ante mis pacientes cuando alcancé un punto en mi desarrollo personal y comprendí que el intentar cambiarme no era más que buscar agradar a mi padre. No creo ser el único, he visto centenares de terapeutas en la misma situación. Para los terapeutas no es fácil reconocer que su "ego" es quien guía a sus pacientes, y que su "yo" no ha entrado aún al consultorio.

Es obvio que diagnosticamos con nuestro intelecto, pero el tratamiento lo efectúa el inconsciente. ¿Sabía usted esto o cree todavía que no se involucrará? Recuerde que la distancia como estrategia es el temor a perderse. Por tanto: ¿Qué es lo que usted transmite a su paciente: autismo o confianza? Yo no puedo trabajar con nadie donde el afecto no sea el tratamiento: entre más profunda y honesta sea nuestra relación, los avances serán recíprocos. Toda verdadera relación tiene que sumergirse en todos los estilos del teatro de la vida: el melodrama, la tragedia, pasando por la comedia.

¡Lavemos nuestras penas con nuestro llanto! ¡Asumamos la vergüenza de lo pequeños que somos y siendo pequeños riámonos de nosotros, para que con ambas actitudes tengamos el tono muscular que le corresponde a la libertad!

La transparencia no se puede esconder, ni se puede exhibir: se es. La norma de la vida es ser anormal.

Los conflictos políticos y sociales determinan la justicia de nuestra realidad, la cual es condicionante de nuestra enfermedad. Todos los que obedecen las normas mantendrán el poder vigente, pero cobrarán el mismo diezmo en sus casas. Toda terapia oficialista se identificará con el poder de turno, ya que de la no-salud dependerá su poderío. Un tratamiento profundo trae una conciencia política. No se puede hablar de salud absteniéndose de la fraternidad. Un ser consciente es un ser holístico, preocupado por defender la herencia de quienes nos siguen, la naturaleza, el bienestar, la tierra, la vida.

Yo-persona soy responsable de todos los actos que de mí se deriven, los piense o los sienta, hayan sido a raíz de un brote psicótico, por una lesión cerebral, estimulado por un alucinógeno o por el alcohol, debidos a una pérdida de control durante una crisis... Desde esta posición intento encontrar una alternativa para la salud del paciente. Mientras nos escudemos en algo o en alguien, interno o externo, que nos brinde la ocasión de no asumir lo que somos, será imposible alcanzar nuestro propio bienestar. Mi postura no es enjuiciar o reforzar el autocastigo, que es la postura tradicional. Culpabilizar al otro lo exime de su deseo y es garantía de que nadie acepte nada.

Percibo en la actividad terapéutica un contrato generalizado, entre terapeutas y pacientes, que incluye a la familia, de no explorar y menos participar en el proceso del paciente. Es cierto que los familiares y el mismo paciente nos piden quitar las molestias que el enfermo causa, quieren que lo amansen, que no atente contra los principios de su marco educativo.

No he visto nunca a alguien liberarse en horas hábiles, hablando sin alterarse y sin perder su buena educación. Hay un exceso de formalidad en los procesos tradicionales y no queremos reconocer que nuestros pacientes, de manera implícita, nos piden permiso para perder el control. Claro, el solo hecho de poder visualizar esto, demuestra ya patio barrido por el terapeuta. Hay una manía de confundir la depresión con la conciencia de los límites. La manera más adecuada de conocer nuestros límites es enfrentarnos a la represión, puesto que ésta nos vuelve minusválidos, mientras que la conciencia de los límites nos da seguridad.

La niñez es la época adecuada para expresarnos de manera desbordada, dejando eruptar nuestro volcán. Esta es una posibilidad única e irrepetible para una buena formación. El niño es, en su totalidad, intensidad. Hay tanta energía en cada una de sus conductas que sus padres se asustan, debido a su falta de presencia y a su timidez, lo que les impide convertirse en el ser irracional que es su hijo y abrir un ducto de contacto entre ambos. No me refiero sólo al contacto físico sino a la animalidad compartida, tan olvidada por los adultos. Los niños nos recuerdan la represión por altavoces. Si les permitiéramos expresarse, ellos nos guiarían en nuestra enseñanza como padres, puesto que saben lo que quieren y lo piden. El adulto, en una situación similar, se queda un paso atrás por no atreverse a pedir.

Se cree que a cada edad corresponde un comportamiento específico. Pero esto es una programación que establece un dominante. No todas las etapas se desarrollan tal como se supone, no se madura una fruta porque se me haya antojado. Una real pedagogía es aquella en la que lo que se espera del otro se convierte en sólo esperar.

Nadie quiere ser el promotor de su propia crisis. Preferimos que la crisis nos abofetee despertándonos a la desesperación y al descontrol de todo lo negado. Nadie esquiva sus propias crisis. La crisis equivale a la negación del deseo en la tragedia mítica. La negación del deseo es la tragedia. Al rehuir nuestros deseos, construimos nuestra frustración.

¿Por qué tanto miedo a manifestarnos, a vivir como queremos, a dejar lo que se acabó? ¿Por qué tanto temor a darnos el derecho de comenzar una y mil veces, sin que el fantasma de la comparación nos atemorice y convenza que la pasividad es la mejor alternativa? Todo esto no son más que visiones infantiles que tienen un peso decisivo en nuestras vidas.

* * *

Confundimos el sufrimiento con el dolor. Hago una distinción: el sufrimiento es un contenido enfermo, no un sufrimiento poético o el sufrir de los místicos, sino un sufrir masoquista, aferrado a vivir mal, a repetir, porque se es adicto a ese malestar, tanto interno como externo. El sufrimiento evita contactar con el dolor, preferimos sufrir a aceptar y sentir dolor. El sufrimiento es una capa externa. El sufrimiento desquicia, lo vuelve a uno incongruente, es irracional e induce a la parálisis o nos vuelve hiperkinéticos. El dolor es estar en contacto con lo que sentimos, con las carencias, con nuestra esencia. El dolor tiene cualidades y calidades. El sufrimiento es estruendoso y el dolor es silencioso, quieto, interno, propio. El dolor es un estado de soledad. El sufrir es exhibicionista, quiere estar presente y tener testigos ante quienes representar el acto heroico, si no, no tiene chiste. El sufrimiento es eufórico.

Lo difícil es ir del sufrimiento al dolor. El dolor no tiene comprensión, sólo aceptación, en el dolor se acabaron los porqué. Fui yo. No hay más. Uno debe aprovechar la crisis del paciente, pues salido de ella ya no se puede movilizar nada. Puede tardar años, pues nadie entra en crisis estando bien. Por eso hay que aprovechar la oportunidad de transformación profunda que brinda la crisis. A veces éstas se provocan cuando uno está cerca de la muerte, cuando muere un ser querido, cuando se está en la cárcel, cuando se pierde todo, pero esos momentos no vuelven a repetirse, vienen con los ciclos de la vida. Si la crisis se presenta, es el momento de darle cara a lo irresuelto en nosotros. Una crisis moviliza toda la personalidad y tiene la fuerza e intensidad necesarias para profundizar, porque todo está a flor de piel. Se ha abierto la caja de Pandora. No se puede trabajar la luna de hiel en la luna de miel.

Es importante señalar que los terapeutas tienen el delirio de poder solucionarlo todo. Pero no hay que solucionar nada. Dar solución al problema es negar el problema y crear otro más. La solución es el problema mismo.

La postura que debe asumir el terapeuta es quedarse quieto. Pero no sometido a una pasividad demandante, que espera algo, sino a una pasividad del ego, para que así se pueda manifestar el ego del paciente. Porque si nuestro ego es más fuerte que el del paciente, éste no se va a presentar.

Los pasos que se dan en una terapia deben ser lo más sólidos y firmes que sea posible. La posición del terapeuta ha de ser la de responsabilizar a su paciente. Paso dado es paso responsabilizado.

Paso no dado, también. Si no, el paciente no asumirá sus equivocaciones y culpará al terapeuta.

* * *

Hay que reconocer que mucha de la enseñanza se basa en deducciones intelectuales, en repetir lo que se leyó o se escuchó decir a alguien. Pero la máxima enseñanza que el terapeuta da a su paciente es a través de la manifestación y la permisividad. En eso está la curación y no en la intelectualización. La madurez se trabaja en un nivel no programado a través de actitudes.

La realidad es externa, pero la verdad es interna. Uno tiene que trabajar desde la verdad personal y no desde la realidad exterior. La realidad es, pero no es confiable. Lo que importa es ir hacia la interioridad que es la verdad personal. Esa verdad muchas veces no va a estar acorde con la realidad, porque ésta atenta contra la libertad del individuo. No se trata de hacer personas reactivas o rebeldes, pero hay que saber estar en desacuerdo con la realidad, porque quizá una parte de la realidad no nos fue enseñada por nuestros padres. Es necesario ser un rebelde con causa. El rebelde con causa es una persona en busca del ser. El que no tiene causa es irracional, está en oposición simplemente. Pero hay que reconocer la autoridad interna, autoridad que proviene del autor, autor de sí mismo. Hay que aprender a fiarnos de esa autoridad, que no es amenazante para nadie. Aunque una persona fiable, que se reconoce a sí misma, puede ir en contra de la sociedad tradicional y sus dogmas. La autoridad interna atenta contra el dogma y contra la norma.

La persona se vuelve un rebelde, no en el sentido destructivo, sino en que hace lo que quiere y que su actitud es contagiosa. La verdad no se enseña en los libros, es una actitud. Así lo vemos en la vida de los grandes hombres, su verdad amenaza al sistema y así trasciende lo político y social.

El terapeuta tiene que ser el testigo del acto de contrición del paciente. El paciente tiene que volcarse en sí mismo, hacia adentro. Y el terapeuta sólo puede consolar con su presencia, narrar y cantar como un chamán, como el que conoce y se convierte en un vigía, en un ejemplo, en un guía, en un mapa. El es el guía que conoce el territorio y da confianza al paciente. Eso no quiere decir que el avanzar por ese territorio no sea motivo de cuidado o que no acechen peligros mortales. El terapeuta no sabe si va a haber un final feliz. Las posibilidades son tantas que no las puede manejar todas. El hecho de que él conozca el camino no es una garantía total. Existe la posibilidad del suicidio, de la pérdida o del fracaso. El guía no puede garantizar el retorno a Itaca, como dice el poema. Uno sale a buscar, hace el esfuerzo y puede morir camino a Itaca, pero eso al final no importa, lo que importa es el camino del guerrero, el camino del paciente. Hay que renunciar a la meta, que lo único que tenga valía sea el camino cotidiano. El camino es el arquetipo. La búsqueda es un arquetipo universal, también el encuentro, aunque cada caso es individual. Esto aparece en todas las culturas, en todas las épocas: el hombre sale a buscarse a sí mismo. El terapeuta conoce mapas y tiene que mostrárselos al paciente. Tiene que haber congruencia; mostrar esos mapas es mostrarse como persona. Demostrar que se ha andado el camino. Para eso son también los cantos de los chamanes, las narraciones de los sufíes, las anécdotas de los trovadores: son las historias de ellos mismos. Ellos, al presentarse con transparencia, le dan rostro al mito. El mito como una realidad, como un mapa que elaboró alguien que pasó por ahí. El mito sólo puede ser descifrado cuando se ha andado. El camino se conoce caminando. Esto no se puede descubrir a través de deducciones lógicas, sino por vivencia propia. El terapeuta debe convertirse en experiencia palpable.

* * *

Los terapeutas vivimos de que los pacientes se pongan bien. Siempre decimos que lo que nos importa es la salud. Pero, casi inconscientemente, queremos verlo bien porque así comprobamos que somos buenos. Es el ego que siempre está buscando su gratificación pero de manera narcisista.

Los tratamientos buenos y profundos son aquellos en los que quien inicia el proceso terapéutico se cuida de no dinamitar el inconsciente del paciente, sino que va, poco a poco, abriendo un hoyo hasta llegar a la caja de Pandora. Este es un esfuerzo muy grande y los terapeutas que lo adelantan, por lo regular, no logran ver la culminación de su trabajo. Es después de muchos años que se ve el resultado, lo cual es un poco frustrante. Pero el buen terapeuta sabe esto, lo más difícil es comenzar. El terapeuta tiene que estar abierto a invertir sin esperar nada a cambio, tiene que renunciar a ver resultados. Lo único que puede hacer es trabajar el momento.

En este tipo de relaciones, muchas veces se producen los adioses más profundos y descarnados, incluso los más caóticos. No hay caminos que aseguren que se puede decir adiós de buena manera, con agradecimiento, lágrimas en los ojos y corazón abierto. A veces tiene que romperse el cordón umbilical y hay que vencer fuerzas tremendas para poder deshacer la dependencia y todo lo que involucra. Es como una guerra de separación, dolorosa. Pero tiene que ser así. Los reencuentros, después de varios años, así me lo han hecho entender.

Los padres quieren que los hijos se vayan maduros, responsables. Pero de acuerdo a la idea que ellos tienen. Y eso no es una separación. No se logra estando sentados y poniéndose de acuerdo. Cada separación es una repetición del nacimiento, el cual fue caótico, asfixiante, con amenaza de morir, con sangre, con esfuerzo. Y la independencia terapéutica también es así. Cuando el terapeuta tiene miedo a la separación, diseña estrategias de seducción, desvalora a su paciente para mantenerlo unido y lograr así una simbiosis que los retroalimentará hasta el hastío. Pero el terapeuta tiene que estar preparado para la separación, para que el paciente rompa, pues para eso está ahí. Y él tiene que recordarle que vino por una incapacidad de ser él, de ser independiente. Esto lo olvida el terapeuta y este olvido tiene ombligo.

* * *

La autenticidad es no cambiar lo que uno es y aceptar lo que uno tiene. Es la capacidad de manifestarse tal y como se es, sin ocultamientos. Lo auténtico es y tiene valor.

La autenticidad no es tratar de ser mejor. Esto es sentido del deber, es una obligación, es una orden, una fachada. La verdadera autenticidad es mostrarse, sin juicio, sin temor a ser descalificado.

Para poder alcanzar esto, uno tiene que trabajar mucho, como paciente, no como terapeuta. Porque no se trata sólo de mostrarse. Así cualquier descarado sería un ser auténtico. No hay que confundir y creer que se debe mostrar la verdad hasta el escándalo. Quienes dicen esto están menos interesados en lo primero que en lo segundo. Hay que decir la verdad sin escandalizar.

No puedo hacerle creer a mi paciente algo que yo no creo. Si no conozco un proceso, si yo no lo he hecho, estoy cometiendo un fraude contra mi paciente.

El terapeuta se avergüenza de mostrarse humano, conflictivo, irresuelto, desvalorado, edipiento, homosexual, heterosexual o con el problema que sea...

Tiene terror de ser persona frente al paciente. Una persona lo es porque dejó de funcionar como una máquina. Ya no es programable. No responde a los programas del papá y de la mamá, tiene sus propios programas. Hay que estar atento, pues el proceso de convertirse en persona es muy hermoso, significa la salud. Ese es el trabajo que intentamos hacer.

La verdadera preocupación y responsabilidad del terapeuta es hacer su trabajo. Es importante decir: vamos a trabajar. Porque es un trabajo, un esfuerzo, una tensión. Debe haber una continuidad y una conciencia de que los trabajos quitan espacio, quitan distracciones. El trabajo es un esfuerzo constante y una capacidad de vivir cada instante con conciencia. Hasta que esto se convierta en un estilo de vida y éste le permita vivir bien.

Hay ciertas deformaciones en los terapeutas que les impiden dejar que los pacientes toquen fondo. Se intenta no conflictuar más al paciente y sacarlo de su sufrimiento. Esto es muy negativo. Hay que tocar fondo. Hay que ir hacia el lugar de donde quiere huir. Y la única forma de tocar fondo es sucumbiendo a las tentaciones. No se pueden superar los obstáculos huyendo de ellos o negándolos. Hay que sucumbir al miedo y a lo que consideramos malo. Hay que volvernos malos, más enfermos. Tenemos que meternos al pantano. Hacemos muy poco trabajo de calvario con conciencia. No es que no hayamos sufrido en la vida, pero lo hemos hecho de manera inconsciente y por eso no hemos obtenido resultados. Toda esta problemática es proyección del terapeuta, de los conflictos que no tiene resueltos, pues se ha dedicado y se ha distraído en la sintomatología e interpretación de sus propias conductas, pero no se ha involucrado con lo que hay detrás. Hay que ir al fondo del océano, hay que ahogarse y no andar con flotadores. Hay que aprender a confiar en la tempestad. Hay que hundirse, flotar, ahogarse y salir. Hay que renunciar a la salida mientras no se haya llegado al fondo. Si no, no se resuelve nada. Hablo de resolver, no de cambiar conductas. Es necesario llegar al núcleo, a la esencia del conflicto, para poder conocer y elegir con libertad.

Entender no es más que enmascarar el problema, racionalizándolo. Hay que revivenciar el origen del conflicto, regresar al pecado original. La vivencia tiene un contenido más profundo, es la experiencia de revivir, de volver a abrir y de quitar toda la piel. Es un quedarse con la verdad que hay ahí, no con la interpretación mental. La solución está en la experiencia misma, en jugar al riesgo de profundizar en uno mismo. El pensamiento no se resuelve, porque el problema no se originó con un pensamiento, sino con una experiencia, con una vivencia, con una palabra o con el impacto de una presencia que nos marcó.

Lo más importante es la impecabilidad, poder estar abierto y presente en el instante, suceda lo que suceda, tanto si es placentero como adverso.

Hay terapeutas que se vuelven maniáticos de los cursos, para mejorar sus defensas. No niego la importancia de los conocimientos. Me refiero a aquellos que se paralizan si no van al curso, que esconden su poco desarrollo personal en la adquisición de más y más información. Pero la base de todo es el desarrollo como persona. Si uno no tiene un mínimo de diez años en ese camino, va a deformar cualquier técnica que reciba. Las técnicas han sido elaboradas por quienes han culminado un desarrollo personal. Un terapeuta que no haya avanzado en ese camino, entre más se entrene, peor. Terminará subdesarrollándose: poco crecimiento interior y megalomanía de desarrollo exterior. El crecimiento tiene que ser simultáneo, coherente, sino las técnicas van a ser asimiladas de forma mecánica. La técnica es insensible, lo que la vivifica es el desarrollo personal del terapeuta. La técnica funciona si el terapeuta está plenamente vivo. Ahí tienen éxito las técnicas, porque el terapeuta las ha aplicado primero en él mismo, las ha vivenciado y ha tenido una experiencia que trasciende lo mental, lo emocional. Repito: un terapeuta sin trabajo personal es un robot, un enfermo más, alguien que llevará a nada al paciente. La base de una técnica, de una teoría, de una escuela, es la experiencia.

* * *

Mantengo una movilización constante hacia el paciente. Considero el caos como un orden. Trato, con mis discípulos y pacientes, de eliminar el marco de referencia. Que la no-referencia sea la referencia misma. Es como estar preparados para naufragar. Es muy bueno llevar mapas e instrumentos, pero lo que yo intento es que aprendan a guiarse por las estrellas. Y que sepan naufragar, que el desastre no los pille descuidados. Que se preparen en una forma adecuada. Lo cual no es una paranoia de querer tenerlos preparados. Es alcanzar un estado de alerta, una actitud ante lo peor que pueda suceder. Y esto es tener la capacidad de aceptación.

Aprender a aceptar, porque es innegable que aunque la vida depende de nosotros y que construimos nuestro destino, ocurren cosas que, querámoslo o no, nos van a suceder, nos van a afectar: existen factores sociales, naturales y de otra índole que no están bajo nuestro control. Cuántas políticas han afectado de manera rotunda y hecho infelices a un número indeterminado de personas, en todas las épocas. Esto es algo real y hay que estar preparado.

Aprendamos a renunciar a la seguridad. A una seguridad con un alto contenido egoico. La salud no es tener o no tener, es la aceptación de ambas posibilidades. Como terapeuta, siempre he tendido una trampa a la seudoseguridad que tiene el paciente, que no renuncia a lo necesario sino que renuncia ante lo imposible de la realidad. Porque renunciar es algo real, es una capacidad muy sana. Nadie cree que puede caer en la cárcel. Nadie cree que va a haber una guerra. Nadie espera un terremoto... Afortunada o desafortunadamente, cada quien enfrenta pruebas acordes a su tamaño. Esto es uno de los misterios de la vida, uno va teniendo las pruebas exactas que necesita y uno tiene que estar preparado para reconocerlo.

No podemos hacer mucho ante las decisiones que toma la vida o el universo o la naturaleza. Pero sí podemos presentar una actitud frente a ellas, podemos no oponer resistencia. Resistirnos a la corriente trae un sufrimiento innecesario. No hay que hacer problemas de un problema. Hay muchos cuentos sufíes que tratan del no nadar a contracorriente, de dejarse ir. Eso no es una actitud pasiva, sino una tensión para buscar el equilibrio, para sostenerse o mantenerse. No es pasividad, es una actitud de confianza y una acción.

Oír esto, lo que hago constantemente con los pacientes, tiene una dificultad mayor. No es tender una trampa, es ir colocándolos frente a dificultades totalmente diferentes a las ya resueltas. Es ir abriendo el abanico, para que no se instalen en el conformismo o la comodidad. Con frecuencia luchamos con nosotros mismos, pero para lograr comodidad, inmovilidad, descanso. Hay derecho al descanso, pero no hay derecho en el descanso.

La solución de la existencia surge en la convivencia, día a día. La resolución de los conflictos cotidianos viene de mantenernos dando la cara, de perder la esperanza de que no va a pasar nada. Al contrario, entre más abiertos estemos, más cosas van a ocurrir y más sensibilidad tendremos ante lo evidente. Seremos sensibles a todo. No podemos ignorar a la humanidad. No podemos ignorar a los vecinos. No podemos ignorar. Y ésta es una de mis intenciones con mis pacientes, que no puedan ignorar lo que sucede, que sean sensibles.

Las decisiones que marcarán nuestra personalidad se toman a muy temprana edad. Considero que los tratamientos en donde no se trabajan regresiones, hasta niveles intrauterinos, no son profundos.. Un gran psiquiatra mexicano, Santiago Ramírez, dice que infancia es destino. Yo digo que gestación es destino. Tiene que ver mucho la actitud en el momento del orgasmo fecundante, la calidad, la explosión. Es obvio que todo lo que ocurre dentro del útero tiene que ver con la persona. El bebé es receptivo hacia su madre, quien le filtra todo lo que sucede en el exterior, ella pasa toda la información. El ser humano conoce así, energéticamente, diversos estados emocionales, conoce el estrés, las modificaciones bioquímicas. Desde ahí comienza a asociar, se desarrolla el sentido del tacto, luego el oído y a través de lo acústico se presentan los sentidos emocionales.

Los que trabajamos en terapia sabemos que un cambio de personalidad cuesta muchísimo trabajo, tiempo y dinero. En incontables ocasiones tratamos de hacer rápido las cosas, se nos olvida que estamos trabajando con la esencia del ser humano. Estamos tratando de ayudar a formar, a reformar, a reeducar o a reconocerse a un ser humano que no quiere hacerlo.

Si alguien quiere asomarse a un proceso de evolución, le recomiendo que lea la vida de los santos. Estas personas se someten a un proceso terapéutico; aunque son de una sensibilidad extraordinaria y cuentan con un maestro, lo principal es su capacidad de entrega.

La capacidad de entrega es fundamental en un proceso terapéutico. Si uno no se entrega, no se modifica nada; si uno se pone el traje, puede luchar por la vida. Pero llegar a esto es muy difícil, son años de trabajo, de trabajar las defensas y los mecanismos. Por eso creo que hay una terapia profunda y otra que se dedica a analizar la caracterología, a reconocer los mapas de la patología y no los de la salud.

Hay que explicarle al paciente que el trabajo va para largo... Que venimos al mundo a darnos cuenta en dónde estamos y que este darse cuenta tiene muchas etapas. Hay un darse cuenta como niño, como adolescente, como adulto; un darse cuenta como profesional, como padre, como esposo. Un darse cuenta aquí y ahora, que sólo termina con la muerte. El darse cuenta es el despertar que tanto mencionan los santos. Estar despierto hasta que uno muere, vivir en presencia continua, de eso trata la psicología profunda, en eso consiste el crecimiento.

No dudo que haya muchas buenas técnicas, buenos caminos, pero considero importantísimo que el reforzador sea el placer propio basado en el libre albedrío. Que uno sea su propio reforzador, que nuestra programación dependa de nosotros. Que yo quiera o no quiera. Que el amor sea el reforzador. Si no nos abrimos a esa actitud, que uno mismo se programe, volveremos a ser máquinas. Para poder decidir, se requiere conciencia y poder decir: yo quiero hoy...

Un poco más atrás hablé de que era necesaria la regresión para poder renacer. Renacer es una resurrección. Pero muchos terapeutas quieren ir directo a la resurrección, sin haber pasado por el calvario y menos por la muerte.

Para renacer, que es resucitar, que es despertar, hay pasos que son inevitables, pero un buen terapeuta, como un buen padre, acorta el camino pues sabe qué hacer. El terapeuta enseña una buena actitud ante lo irremediable, ante el misterio de la vida, ante la injusticia, ante la incapacidad.

Enseña la aceptación, que a pesar de todo en cada vida hay un orden, que se le puede llamar como quiera. Que lo que nos ha tocado está bien. Que gracias a eso hemos podido llegar a sentirnos bien, que lo más valioso para poder alcanzar la salud es, bendito sea Dios, que nos reconocimos enfermos, pequeños y sufrientes.

* * *

Es imposible decir cuál es la estrategia para hacer una buena terapia. Muchos se distraen discutiendo que la mejor es la biogestalt, la bioenergética, la terapia grupal, la individual, el silencio, la expresión... Pero el verdadero terapeuta está consciente de que el momento para trabajar es el presente. Lo demás es la habilidad que se tenga y saber qué utilizar en el momento. Por eso, si el abanico que tiene el terapeuta es amplio, podrá tener una presencia total.

La confianza se obtiene de soltarse, de involucrarse, de ser permeable a lo que está sucediendo, a los mensajes que está enviando el paciente.

Para poder alcanzar un conflicto, se requiere haber culminado una serie de procesos y de situaciones vivenciales. Quien posee la clave, quien guarda el mapa, es el paciente. El terapeuta sólo tiene interpretaciones. Por ejemplo, sé que un paciente tiene un problema con su padre, pero es él quien tiene que recorrer el camino, establecer la estrategia, resolver el laberinto. El terapeuta tiene que acompañar al paciente y meterse en su laberinto. Es como el ermitaño del tarot, trae una lámpara que sólo alumbra cada paso, cuya luz no se desperdicia intentando alumbrar el futuro. Uno acompaña y vayan donde vayan los dos, sólo hay que ver lo que hay, pero es claro que quien tiene que caminar es el paciente. No debo tener pretensiones sobre el recorrido de él. Yo ya hice mi recorrido, conozco mi laberinto, y puedo decirle y hacerle sentir que es posible salir. Puedo recordarle que no es el primero ni el único que va a hacer esa Odisea. Yo ya hice mi viaje y sé que se puede. Así cambia el tono, ya no hay prepotencia terapéutica, sino humildad. Este es el momento curativo, pero es imposible deducir la técnica y extraer un programa de ejercicios. De lo que se trata es de la desprogramación del paciente para que tome su propia decisión.

El terapeuta tiene que saber mucho de sí mismo, tiene que conocer distintas técnicas. Tiene que aceptar su miedo. El miedo nunca se quita. La cobardía sí. La cobardía es miedo al miedo. Entonces, hay que ir con miedo, pues es una brújula que indica el camino correcto.

A veces los pacientes quieren frustrar al terapeuta, decirle que es malo, que el conocedor de la verdad no los puede curar. La idea es frustrar al terapeuta, invalidarlo. Aquí es imposible ayudar al paciente, pues lo que quiere es dejar mal al terapeuta, tal como hizo o quiso hacer con alguno de sus padres.

Todo paciente pasa por ahí, trata de invalidar al terapeuta. Y cuando uno no conoce bien estas situaciones, puede caer en una crisis, no como terapeuta sino como persona, pues ahí apunta la descalificación. Lo mejor, cuando pasa esto, es comunicarlo al paciente, abrir el juego: uno que quiere ser perfecto y tiene problemas de valoración, mientras el otro tiene su acción dirigida a frustrar y a interrumpir su tratamiento agrediendo.

Si el terapeuta se siente mal, es porque le tocaron un núcleo irresuelto y para ello hubo una labor por parte del paciente. Si esto se abre, se está logrando un trabajo terapéutico recíproco. Así el paciente puede reconocer su intención de molestar, aceptar que es parte de sus problemas y que los va a tener con otros terapeutas y otras figuras de autoridad. Así se aclara el problema del paciente y del terapeuta. Abriendo se puede retomar una línea de trabajo, porque hay pacientes que se especializan en derrotar terapeutas, hacen de ello una estrategia y se la pasan de uno a otro. Se pasan toda la vida cambiando de amante, pero insatisfechos siempre. Les es más fácil culpar a la mala habilidad del terapeuta que aceptar que se dedican a obtener esas respuestas.

Se trata de trabajar desde la enfermedad del paciente, no desde la del terapeuta. No se trata de probar quién puede más. Para qué gastar tiempo y dinero en probar terapeutas, se está resistiendo, pues es más fácil responsabilizar que responsabilizarse, desvalorar que desvalorarse. Toda esta problemática es la que hay que abrir. A un paciente de este tipo yo lo correría, pero antes le diría quién es, que si me quiere probar vaya a probar a la puta que lo parió. Le explico las reglas y que no me siento amenazado con que él me pruebe, sea como terapeuta o como persona. Mi estrategia es abrirlo, pero de manera concreta, desde la realidad, desde su amenaza, siendo sincero, para poder descubrirlo. Después veo qué pasa.

* * *

Para el buen éxito del trabajo es necesario tener presente la transferencia y la contratransferencia, que se producen de manera inevitable en toda relación, pero que son consideradas de manera principal por los psicoanalistas. Otras técnicas, muy americanizadas, las consideran innecesarias o las niegan.

Considero que el mejor proceso terapéutico es la transferencia múltiple, donde estén presentes figuras masculinas y femeninas. Donde hay mayores posibilidades de transferencias, hay más horizontes. El terapeuta debe tener muy trabajada la posesividad, los celos, la inseguridad y el saber compartir, para poder permitir no ser el único. Porque un terapeuta hombre nunca podrá trabajar la relación hijo-madre o la de la hija y la madre, por una razón simple: no es mujer. Toda la problemática del paciente viene por dos canales y hay que viajar por ambos, sin olvidar tíos y abuelos. Existe el desplazamiento de figuras. Hay personas con dos y tres edipos. Es necesario revivir, porque el proceso de curación es reconocer. Por eso hay que tener cuidado cuando se trabaja en equipo, los terapeutas entran en conflictos económicos, sociales y psicológicos, por lo que tiende a reproducirse la situación familiar: se raptan a los hijos, se raptan a los pacientes.

El psicoanálisis ha defendido mucho la tesis de mantener a buena distancia la transferencia. La resistencia a la contratransferencia es en sí contratransferencia. Es innegable que la esencia de la conducta es energía y la contratransferencia se maneja a nivel energético, no a nivel intelectual. El evitarse significa que uno no se está dando, que no se está relacionando. Por eso, más nos vale revisar cuál es la resistencia a reconocer, desde la inspección de nuestros mecanismos de defensa.

Un paciente cualquiera puede tener el potencial de motivar y movilizar al terapeuta. Pero si esto no se reconoce, entre más sutil sea la negación, mayor va a ser la manipulación.

El paciente no puede curarse, ni modificar nada, si no hay un puente de relación, un puente de confianza. La base de la transformación es dejar de ser mecánico, para poder sentir lo que se va manifestando. Estamos invitando a que se exprese el sentimiento. A lo que viene el paciente es a reconocer que siente. La enfermedad está basada en la negación del dolor. Ese es el sufrimiento. Si yo empiezo un tratamiento negando lo que estoy sintiendo, estoy invitando al paciente a lo mismo, o a que tenga una serie de mecanismos que aparenten sensibilidad. Actuará como si sintiera, pero sin emoción. Porque la emoción del paciente se presenta de acuerdo a la emocionalidad del terapeuta.

El terapeuta tiene que presentar sus emociones claramente, no con palabras. Si uno espera, teóricamente, que el paciente se entregue a la vida, a sus relaciones, que han sido truncas o de muy mala calidad, sin estarlo haciendo uno, al paciente no le quedará otra cosa que imitar, creyendo que involucrarse es establecer una distancia. Esto no quiere decir que haya que perder la identidad para poder entregarse. Hay que regresar al inicio del conflicto, en la pérdida de identidad que tuvo lugar hace años, cuando pequeñito, cuando se dio la entrega, se tuvo la confianza y se creyó en una o varias personas.

Yo trabajo desde el afecto con mis pacientes. Pero me ha sucedido que me lleguen pacientes que de entrada me caen mal. Siempre expreso mi molestia, falsa o real, neurótica o no, proyectiva o no. Lo importante es manifestar lo que siento y pienso del paciente que tengo enfrente. Si a partir de ahí quiere trabajar, bueno. Mi deber no es pasar por encima de mí, sino manifestarme. Y creo que siendo honesto, encuentro auténtico material de trabajo. Empezar mal, también es un comienzo válido. Nunca se me ha ido uno.

Tenemos que tener claro que estamos reeducando, no educando. Estamos reacomodando. No es que falte o sobre algo, es que hay un mal acomodo, una distorsión. Hay incomprensión. Hay funcionamientos equivocados. Se confunde tomar con arrebatar, el tener con ser avaro, la libertad con la lujuria. Pero no hay nada que poner ni que quitar, se trata de revisar y reacomodar. Es cuestión de orden. Y todo esto entra dentro de una relación y se llama transferencia.

Estoy convencido que el conflicto del ser humano no es tanto recibir como que, teniendo tanto que dar, no haya quien se lo reciba. En el acto de dar ya está uno recibiendo.

Cuando el terapeuta es miserable con sus afectos, lo único que hace es repetir el cuadro inicial.

Los terapeutas estamos para acortar caminos que fueron largos para nosotros.

* * *

Hay momentos en que es necesario descender al pozo oscuro, a lo indeseado, a lo temido, al odio. Teniendo presente que un proceso terapéutico consiste en revisar toda la historia del paciente, tenemos que enfrentarnos al odio no tratado, no visto, no reconocido y, por tal, no aceptado. Es muy fácil transferenciar en forma positiva, hablarle bonito al paciente; es más fácil no contradecirlo y darle cuerda, seducirlo más que conflictuarlo. Pero el paciente tiene que pasar por el conflicto, aunque jamás quiere entrar ahí. Porque si las figuras que tuvo en esa posición le fueron amenazantes, es obvio que su única relación positiva será con el terapeuta. Hay que trabajar sin la amenaza, sin decir nada, sin convencer al paciente argumentando que toda persona tiene que entrar en un proceso de transferencia negativa. Porque eso es una seducción.

Nadie puede entrar en ese proceso con lógica, siendo razonable, puntual y justo. Uno tiene que ser injusto con el paciente, no por maldad, sino para procurar el contacto con su odio. Si quiero trabajar la transferencia negativa, tengo que buscar y provocar situaciones de crisis. Pero no una crisis planeada, basada en una estrategia terapéutica, que terminará fracasando. Hay que llegar desde la forma de ser del terapeuta, desde el desquiciamiento mismo del terapeuta. Si esto se logra, el riesgo es quedarse sin el paciente. Lo cual es una gran amenaza, que junto con ser odiado se hable mal de él. Esto es una mala propaganda, es echarnos enemigos de antemano. La reputación, la imagen, se deterioran. Así, son muy pocos los terapeutas que quieren trabajar la transferencia negativa. Simplemente, ellos no la tienen resuelta. Resolver no es hacer ejercicios de abandono, es vivenciar la amenaza de la pérdida total del objeto amado.

Para que haya una buena transferencia negativa es necesario partir de la honestidad en lo que siento. En este tipo de trabajo la verdad es la terapia. Si el paciente está inmóvil, en proceso de demanda pasiva, yo tengo que sacudirlo y abofetearlo. Lo digo en sentido real y no figurado. Tengo que entrar en situaciones que la psicología tradicional consideraría humillantes. No es posible llegar al odio con simples ejercicios.

Trabajar la transferencia negativa es atravesar el miedo, perder lo amado. Aquí no hay un perdedor sino dos, la amenaza es por partida doble.

¿Cuántos terapeutas están dispuestos a pasar por esto con cada paciente? Ser terapeuta es estar reviviendo el proceso de cada uno, en cada uno, de diferente manera y estilo. Los pacientes terminan removiendo nuestra experiencia y eso es muy doloroso, es un perpetuo revisar, es mucho palo para el ego.

Cuando se da una transferencia negativa, se puede estar dando una contratransferencia negativa inconsciente por parte del terapeuta. ¿Cómo es posible que un paciente así me ponga en crisis? Simplemente, el paciente nos recuerda su problemática irresuelta cada vez que se nos acerca de una forma determinada. Entonces, mientras menor sea el nivel de resolución, mayor será el alejamiento. No es fácil entrar en el odio, entrar en la pérdida. A mí lo único que me ha servido en estos casos es ser honesto y actuar con libertad, libre de resentimientos, porque no es una estrategia para fastidiar. Sólo que hay que pasar por ahí, es una parte del camino, no hay otra posibilidad. Son estados que forman parte de la condición humana y no es posible negarlos. El desarrollo de la persona es psicológico, social, cósmico, natural, pero congruente con una cronología, por eso no se puede saltar ninguna etapa. Saltarse una equivale a la fijación. Querer evadir la trampa crea un conflicto. Y el terapeuta tiene que convertirse en un trampero, un trampero espontáneo, cuya espontaneidad es un conocimiento interno, derivado de la resolución de conflictos propios. Por esto, trabajar la transferencia negativa dependerá de la personalidad del terapeuta, de su patología, pero será inevitable que pase por ahí.

Uno se puede guiar por la falsedad del paciente, por su falta de autenticidad y de presencia, por los dobles mensajes que lanza, por sus intentos de manipular.

Yo, como persona, no acepto de nadie nada que no sea directo, sea en la relación que sea. A mí no me asusta ninguna posición, creo que cada quien tiene derecho a ser como es. Ese derecho me lo otorgo yo. Mis maestros me lo otorgaron a mí. Lo que no acepto es que lleguen a mí con su mecanismo de defensa puesto, no acepto que me gratifiquen gratuitamente, me molesta la seducción barata. Ser paciente no otorga derecho de sobreprotección, ni disculpa; si quieren jugar, vamos a hacerlo, pero jugaremos poker abierto, vamos a manifestarnos como somos, para alcanzar el nada fácil nivel de transparencia. Para esto hay que reconocer que el otro tiene derecho de responder como puede y como quiere. No hay que entrar en un proceso de interpretación, porque es un mecanismo de defensa.

Yo tengo que reaccionar. Si me está agrediendo, tengo que decirlo, que me duele. Esto no significa que sienta todas las agresiones y me convierta en un espejo de todo, sino que manifieste lo que sí me toca, lo que sí me duele. Yo hablo desde lo que me toca y desde lo que no. Yo explico: tú me haces esto para que sienta tal cosa, pero lo que siento es esto. Es mejor ser explícito que dar las cosas por entendidas. No hay que interpretar, la interpretación es una negación del acto y es quitarle la responsabilidad de su conducta al paciente. El se tiene que responsabilizar, pero no a través de una interpretación que lo justifica.

Uno es uno las 24 horas del día, despierto o dormido, consciente o inconsciente. Por eso más vale que el terapeuta lo desenmascare a cada instante, para que el paciente se dé cuenta de lo que anda haciendo. La inocencia tiene su precio y la conciencia también. Entonces, hay que poner los deseos al descubierto, abrir las intenciones, ser más explícitos en lo que se quiere. Asumir que una decisión es nuestra cuando es abierta, donde el cuerpo está presente y sintiendo.

¿Por qué tienen los terapeutas tanta desconfianza a soltarse? ¿Qué tienen adentro que tienen que meterse en un estado de control total? Controlan lo que piensan, lo que sienten y lo que dicen. Pero no es posible ocultar, saldrá contratransferenciado.

Tiene que quedar claro que hay que provocar la transferencia negativa. Querámoslo o no, el objeto amado también es odiado. Aceptémoslo o no, pacientes y terapeutas en proceso de maduración del amor tienen que pasar por la libertad de decir te amo y te odio. Tienen que vencer la amenaza. No se dan las transferencias negativas por temor a la pérdida, pero uno debe poder expresar el resentimiento hacia lo más amado, pues cuando no se expresa, surge de manera más dañina y se cumple la amenaza del abandono. El proceso terapéutico de la transferencia negativa es darse la libertad de expresar y decir, aunque se pierda lo amado. Me dolerá y sufriré, pero tengo la capacidad de amar, de amar a otros. Así logramos neutralizar los fantasmas y nos otorgamos el derecho de querer cuantas veces queramos.

Creo que la transferencia negativa se puede apuntalar en ese derecho de querer siempre que uno quiera. Uno no vino a querer una sola vez, a querer a una sola persona. Uno tiene que estar donde y con quien lo quiera a uno. No estar viviendo donde lo apaleen y con quienes lo destruyen. Lo demás son tabúes sociales cuyo trasfondo es la posesión, que vuelve esquizoide al ser humano. Hay que lograr la capacidad de estar donde se quiere, con quien se quiere, y poder irse cuando se quiere, lo cual no es ninguna tragedia.

Tabúes

Se dan varios tabúes: el terapeuta no le puede pedir dinero prestado a sus pacientes. Al terapeuta no le pueden gustar sus pacientes. El terapeuta no puede tener relaciones sexuales con sus pacientes. El terapeuta no puede ser amigo de sus pacientes, etc.

Entonces, ¿qué es lo permitido? Uno se relaciona en el medio donde se desenvuelve, donde transcurre su existencia. Uno se relaciona allí donde convive. Es lo normal. Como el niño que se enamora de su maestra porque la ve todo el día. La amistad es convivencia. Pero, ¿por qué los terapeutas tenemos que dejar de ser humanos? Los pacientes son parte central de nuestro mundo, son nuestras personas, nuestros amigos, ellos nos mantienen. Sólo somos allí donde estamos. Aquí también es clarísimo que la negación no es la curación, que hay un doble mensaje: me gustas, pero no puedo decírtelo. Es claro que en toda relación se da la transferencia y contratransferencia. Pero también es cierto que preferimos ser técnicos, y que entre más máquina sea la persona, más técnica va a querer ser en su trabajo. La gran disculpa de la técnica es el ser eficiente. No obstante, la relación terapéutica no es de eficiencia sino de conciencia. En la psicoterapia hay que poner todo, aun lo que no queremos poner y todo lo que negamos.

No estoy haciendo una invitación a que todos los terapeutas hagan faloterapia o exploten económicamente a sus clientes, lo cual ocurre. Digo que permitir que se manifieste todo lo que honestamente ocurra, es más curativo que negarlo.

Los y las pacientes pueden saber quién de ellos nos gusta o no. Podemos decirlo. El afecto se va a manifestar en el proceso terapéutico. El reclamo existirá mientras el terapeuta no sea honesto. El derecho a gustar es universal, aunque no da derecho automático a tener lo que se quiere. Pero sí se puede decir lo que se siente y eso es salud, bienestar. Quiéralo o no, asumo el riesgo de equivocarme, lo cual es parte de la dualidad de todo tratamiento. Es más, se va a tratamiento para poder con libertad decir sí o no. No por el hecho de que me paguen voy a decir a todo que sí, pues el paciente vino a eso, a que le dijera un sí o un no. Entre otras cosas, viene por una permisividad, pero con honestidad. Permiso para él, honestidad de mi parte.

Yo no puedo trabajar con un paciente sin que haya una carga de afecto. Puedo trabajar si le aclaro que me cae mal, que tiene cara de imbécil, que su presencia es horrorosa para mí, que me es difícil trabajar con él. Que si a partir de ahí quiere trabajar, lo haremos. Trabajamos a partir de la verdad. La verdad es curativa y yo no puedo ser cómplice en el engaño. Pues estoy seguro que lo han engañado, que lo han sometido al rechazo silencioso o a la "vergalización" seductora... La verdad no enferma. La honestidad no enferma.

La libertad de los pacientes produce temor a los terapeutas. Tienen miedo de verlos libres, en el sentido total de la palabra. Les molesta que hagan lo que ellos no se atreven a hacer, como perder el orden. Esto amenaza al terapeuta, aunque la libertad fue la primera oferta que le hizo al paciente. Cuando al ave le crecen las plumas se lanza a volar, entonces el terapeuta (terrestre todavía) se siente mal y se defiende argumentando que todavía no es el momento, que las alas aún no son grandes y que va a haber una caída. Pero enseñar a volar es enseñar a caer. Yo creo que la libertad del paciente es indicadora de la madurez del terapeuta.

Constantemente nos preocupamos por darle seguridad a los pacientes. La única seguridad que podemos darles es la confianza. Confianza quiere decir no juzgar, dejar que el otro se manifieste como es, no como yo quiera. Sin embargo, confiar no significa creer en ti para que no me traiciones; no, la confianza es manifestarse, asumir qué es lo que es, sin juicios, sin censura, siendo permisivo. Y en esto hay un riesgo, derivado de la respuesta que se va a dar a tu planteamiento, a tu presencia, a tus actos. En la equivocación habrá aprendizaje, no estamos intentando que el paciente tenga conductas acertadas, positivas. Esto sería como ir perfeccionando lo maquinal, sin hacer conciencia de lo malévolo, de lo erróneo, de lo feo. Yo prefiero ir directo a que se presente lo impresentable, lo vergonzoso, de ahí surge la confianza. A la conducta que se presenta como amenazante hay que dejar de juzgarla. Es como el niño que aprende a enfrentarse a su padre, no con buenas palabras, sino con las mismas que el padre utiliza para minimizarlo. Lo que quiero decir es que uno tiene que caminar con el error, pues éste tiene una parte curativa más profunda de lo que se cree. Muchas veces el error encubre el derecho, dándole un tono irracional. Entonces, si uno recupera el error y le pone mucha atención, puede descubrir que la equivocación es un deseo. Por eso, si yo censuro la equivocación, no logro trabajar con el deseo. El terapeuta debe estar muy atento y reflexionar sobre su propio deseo de que el otro se equivoque. Debe reconocer que lo que el paciente está manifestando es una estrategia para revelarle su deseo no manifiesto, oculto.

Tengo derecho a mis deseos. No a realizar todos mis deseos. Pero, si partimos de que el deseo es inmoral, que el deseo es maldad, que es pecaminoso, no podremos alcanzar la conciencia y estaremos reforzando la represión. Hacer conciencia es dejar que salga de la mente, que se exteriorice y pase a la acción, que salga de la emoción y se manifieste. Expresar lo que uno es y lo que uno siente no es lo mismo que ejecutar lo que uno desea. Esto me recuerda el mito trágico, donde la tragedia consiste en el deseo negado que se escapa, que ya no puede ser escondido, que sale velado y truculento.

La confianza se da sólo si el terapeuta se atreve a manifestarse, a decir lo que piensa y siente del paciente, consulta a consulta, una terapia de grupo tras otra. No se trata de convertir en terapeuta al paciente, simplemente que se vea la transparencia del terapeuta. Uno no puede mantenerse insensible ante lo que sucede, porque eso es una invitación a la insensibilización del paciente.

La verdadera confianza que el terapeuta le puede dar al paciente es mostrarse. No se puede mostrar la vida si no se muestra uno. El camino no va por la identificación estereotipada, pues esto refuerza la enfermedad, sino una identificación en la esencia, y ésta es transparencia. La confianza es no esconder nada, no ocultar. Y cuando ese momento llega hay que tocar al paciente. El cuerpo ha levantado defensas y se ha vuelto intocable. Es labor del terapeuta tocarlo, humanizarlo, hacerlo que sienta y no quedarse en el puro contacto mental a través de la palabra. Romper la barrera del acercamiento sólo lo puede hacer el contacto físico. Nuestras manos son poderosas, tienen poder curativo. La curación es el contacto, el sentir que estoy aquí. Se debe sentir con el cuerpo y pensar con la mente, para poder llevar a cabo una acción. En otras palabras, los tres centros tienen que estar alineados. Que lo que pienso sea congruente con lo que siento y se vea ratificado por mi expresión corporal a la hora de actuar. Desde ahí existe la posibilidad de establecer contacto con el otro, de comunicar. Por eso, ante una dificultad de contacto, tenemos que regresar a nosotros, preguntarnos dónde estoy, dónde está mi centro y alinearme, porque así tengo mayor probabilidad de recibir a quien tengo al frente y que no está alineado.

Otro miedo del terapeuta es perder el control frente a los pacientes. No puede ser feo, no puede tener conductas más irracionales e incongruentes que las de sus pacientes. Pero es muy sano para el paciente que su terapeuta se desespere, se harte, se canse, de lo contrario no se va a enterar nunca de la verdad. La pérdida de control del terapeuta no se puede hacer por una técnica, debe surgir de su autenticidad.

* * *

Uno de los principales tabúes es el suicidio. Está mal visto, se le considera signo de no-salud, no se contempla el derecho a suicidarse, a ser el dueño de la propia vida. Respecto a esto, los terapeutas entran en estados de verdadera ansiedad, no quieren que en sus hojas de vida aparezcan suicidas, como si esto constituyera un fallo de ellos y, por tal, hacen todo lo posible por disculparse. Yo creo que uno debe estar muy atento sobre la posición que tiene sobre la muerte. A nadie le pertenece la vida de otro. Nadie tiene derecho a aconsejar a otro diciendo que es malo suicidarse y que vivir es bueno. Mientras el paciente intuya que la posibilidad del suicidio amenaza al terapeuta, la utilizará para moverlo, para hacerlo sentir mal, pues repite una estrategia que ha utilizado muchas veces. El terapeuta debe cortar con eso. Mi posición es que el que se quiera matar, que se mate. Lo que yo intento hacer es que se aclare, porque una cosa es querer matarse, otra querer hacerlo por querer matar a otro, o por querer matarme a mí. Una cosa muy distinta es que alguien quiera matarse porque está desahuciado o condenado a 120 años de cárcel, es decir en situación o lugar muy adversos, campo de concentración, guerra, hambre. Situaciones tales que otorgan un derecho, y un derecho muy sano, a disponer de la propia vida. Otra cosa es matarse porque lo han abandonado, porque no se es feliz o porque no se ha logrado enfrentar a su patología. El terapeuta debe estar muy claro de esas diferencias, pues hacen una distinción enorme.

Hay terapeutas que atraen y otros que repelen a los suicidas. Hay quienes no les hacen mucho caso, lo que es una posición muy sana. Yo lo único que les pido es que me dejen pagada la consulta, ya que van a pasar a una vida mejor, mientras yo me quedo en la peor. También les pido que me dejen algo de herencia, que así los recordaré eternamente. La verdad es no que se me ha suicidado nadie.

La salud comienza cuando uno logra neutralizar lo prohibido con permisividad. La fantasía es más patológica que la realidad.

* * *

Usualmente sólo tenemos formas de trato con el paciente a la hora de la consulta, individual o de grupo. Afuera de eso no tenemos ninguna convivencia con ellos.

No creo que haya un solo terapeuta que vaya siempre con agrado a trabajar en las terapias. A uno le gusta, pero se cansa. Por eso, tenemos que tener la capacidad de decir: hoy no. Es más saludable que transformarlo en nunca. Uno se da el derecho de ser diferente cada día, no en esencia sino en manifestación. No quiero hoy, no quiere decir que mañana no quiera. No te quiero, no quiere decir que nunca te voy a querer. Es muy difícil decir hoy no quiero, hoy no quiero estar contigo, hoy no quiero escucharte. Estar contra la voluntad engendra conflicto. Y el precio que nos pagan no incluye el aburrimiento. Hay que hacer interesante la vida, y en un consultorio ocurre siempre lo mismo. Un consultorio es aburrido y los terapeutas tienden a nunca cambiar su consultorio, ni sus horarios. Internalizan el aburrimiento.

Yo creo que se puede ser más móvil. Una problemática verdadera se puede hablar donde sea. La única privacidad del enfermo es su enfermedad, pues aunque tenga el delirio de tener el problema más grande y exclusivo del mundo, la problemática es la misma. Entonces, sacarlo, llevarlo a otros lugares, hacerlo con placer, es parte del tratamiento, no simplemente sufrir los miércoles a las 16.30. Ir al café, al sauna, al bar, allí, a la vida, es más sano que pasarse 45 minutos fortificando el miserable ego.

En muchas ocasiones me he llevado a mis pacientes a vivir un tiempo conmigo. No porque sean casos graves, sino porque dados ciertos resultados y mi experiencia, considero muy difícil lograr en 45 ó 50 minutos que el paciente se manifieste. Así que tengo, por sistema, convivir con mis pacientes una temporada. En la convivencia se da verdaderamente el conflicto con el paciente. Si uno comparte una cotidianidad, en un espacio determinado, es más fácil que se manifieste toda la personalidad y todos los conflictos. El tiempo y las limitaciones de territorio alteran cualquier convivencia. En los 50 minutos del consultorio, el reloj termina siendo cómplice del paciente. Por más difíciles que sean esos minutos, terminan pronto.

Con esto no quiero decir que ésta sea la forma idónea de trabajar. Estoy refiriéndome a un estilo de trabajo que me ha dado excelentes resultados. Pero no creo que cualquier terapeuta tenga la capacidad de semejante ritmo de trabajo. Y no por cuestiones de salud, sino porque se les conflictuaría mucho la existencia. Quien puede tener más conflictos es el terapeuta. Nos obsesiona eso de tener un espacio propio para nosotros, un lugar intocable donde nos damos permiso de romper lo que les estamos presentando a los pacientes durante la hora de consulta. Los pacientes no nos ven como somos, lo cual sería terapéutico. Los terapeutas aconsejan cosas que ellos no han llevado a la práctica, dan consejos en los que todavía no creen. Para mí lo que da resultado es mantener una tensión constante y recíproca en la relación. Yo, como terapeuta, estoy dando constantemente. Y mientras mayor sea el tiempo con el paciente, mayor será su probabilidad de autopercibirse.

Es muy fácil criticar las dificultades que se exteriorizan, pero casi nadie puede hacerlo sin entrar en un juego. Es como cuando la esposa le reclama al esposo y éste responde reclamándole a ella. Lo cierto es que si hay reclamos, hay una verdad en ellos. Pero la persona duda, porque está recibiendo dos mensajes al mismo tiempo. Los dos son amenazantes. Uno es la dificultad de aceptar la verdad de lo que se le está diciendo y el otro es la incapacidad de aceptar la enfermedad que hay detrás de esa verdad.

La posibilidad de convivir con el paciente permite estar reflejando constantemente, de manera limpia, clara y abierta, porque no interferirá el miedo mayor, el miedo al rompimiento y la pérdida. Es una terapia intensiva, de tiempo completo, la cual acorta muchísimo el camino y da muy importante información al paciente. El solo hecho de someterse a estas condiciones demuestra en el paciente un gran deseo de superación. El terapeuta debe, por su lado, enfrentar el riesgo de ser descubierto como un ser humano cualquiera, por lo que se verá expuesto a todas las críticas. De esta manera, existe una amenaza mutua, ninguno de los dos se conoce. ¿Cómo se puede trabajar la salud entre dos desconocidos? Importa no sólo lo que decimos en terapia sino lo que no decimos. Y en la convivencia no hay posibilidad de ocultarlo, porque las cosas se darán, saldrá cada deseo, cada gusto, cada manía, cada posesividad. Por esto será muy importante la enseñanza del respeto al terapeuta en su propia casa, en su lugar, en el cual el paciente es un invasor. En esta situación, el terapeuta está invitando a un desbocamiento oral del paciente, a que satisfaga su deseo; por lo que quien no tenga bien resuelta la capacidad de satisfacer, sin ser devorado, necesitará mucho trabajo personal. Lo primero que va a hacer el paciente es devorarlo. En esa convivencia aparecerán todos los temores, las transferencias sexuales, los celos, la posesividad, la demanda, el acaparamiento, la agresividad, todo. Y eso es todo un tratamiento.

Lo anterior es imposible de hacer en 50 minutos. Una cosa es nombrar los celos y otra muy distinta manifestarlos. Lo mismo ocurre con la posesividad, la mentira... Yo invito a que el ser se manifieste, invito a que la enfermedad se manifieste libremente. Así dejo de ser un terapeuta pasivo e intocable. Yo llego ante el paciente como intocable para ser tocado en todos los sentidos, porque sólo así se puede tocar a un terapeuta. Tocarlo con lo patológico y con lo saludable. Lo demás son teorías e intelectualizaciones.

Este proceso es difícil, por supuesto. Llegué a esto por intuición, no lo leí en ningún lado. Aunque sí he leído que los grandes maestros espirituales han convivido con sus discípulos. Los padres viven con sus hijos y los educan, entonces ¿cómo se reeduca? Pues, en la convivencia. Si no, hacemos como los novios. No tienen problemas mientras son novios. Él va a ver a la novia muy bonito, muy arreglado, muy decente y deja el ego afuera. Pero será en la convivencia donde se va a dar el tronar del ego. Entonces, vamos a trabajar el ego, lo cual dará todavía más trabajo al terapeuta, mucho más. Por eso podemos hartarnos, pero dándonos la libertad de expresarlo y decirlo, y que ese permiso sea extensivo al paciente.

Recuerdo una ocasión en que un paciente mío, español, me dijo: "Guillermo, cuánta paciencia me has tenido". Y los dos nos soltamos a reír. Luego dijo: "Y cuánta paciencia te he tenido yo". Y los dos reímos nuevamente. Y era la verdad. Hay que llegar a la verdad. Hay que decirla. Llegar al punto en que los dos reconocemos que estuvimos mal, y que ahora estamos bien. Tenemos que sacudirnos la imagen de falsa pureza y de falsa salud mental ante los pacientes. Esta imagen es muy dañina para ellos. Es como los padres, mantienen una pura imagen de impecabilidad ante sus hijos, pero en realidad es un disfraz, es una impecabilidad de utilería que hace mucho daño a los niños; que nos hizo mucho daño a nosotros en nuestra niñez. Yo creo que la verdad es el valor supremo. La verdad es lo que hay, es lo que somos. Y eso es salud. Eso es trascender la enfermedad. Este trascender no niega nada de lo que somos. Y eso es salud. Eso es trascender la enfermedad, superar la vergüenza a la enfermedad y así quitarle la capacidad de impedimento, para que se puedan hacer cosas con la enfermedad. Este trascender es no negar nada de lo que somos. Y así se logra neutralizar la enfermedad y puede uno volverse un ser creativo, alguien que puede dar a pesar de...

* * *

Otro gran tabú es el sexo. Ante esa posibilidad, los terapeutas empezamos a tomarle medidas a la libertad. En verdad, muy pocos terapeutas integran su sexualidad en su personalidad total. El hacer una división entre pensamientos, sentimientos, instintos, etc., es ya parte de una patología. La salud es más sumar que restar. Además cuesta mucho esfuerzo ser asexual ante los pacientes. Es mejor comenzar por ser permisivos y no censurar. La postura del terapeuta es estar de acuerdo con el placer del paciente. Si los dos llegan a un acuerdo, hay que respetar esa decisión, sea la que sea. La represión nunca ha sido una alternativa en la vida.

También existen la transferencia y la contratransferencia sexuales. Las personas acostumbran relacionarse donde pasan más tiempo y con quienes más permanecen.

Los seres humanos somos instintivos. Que a la gente le gusta otra gente, no es nada nuevo. Eso es independiente de la profesión que se tenga.

Los terapeutas caemos en el prejuicio de admitir que todos se pueden relacionar con las personas que tratan a diario, que eso es correcto, pero que un terapeuta se relacione con su paciente es incorrecto. Nos gusta que nos pongan en situación de intocabilidad, que nos santifiquen y nos suban a un altar. Para mí, eso es un prejuicio y una forma de castración.

Sólo podemos relacionarnos con las personas que tenemos enfrente, lo cual no quiere decir que nos van a gustar todos los pacientes. No sabemos realmente en qué consiste el gusto, no sabemos por qué nos gusta una persona. No es algo meramente psicológico, también cuenta lo hormonal, lo biológico, lo cultural, etc.

El instinto está antes de cualquier formación psicológica. El gusto tiene un componente instintivo muy importante. Entonces, es normal que entre veinte o treinta pacientes haya dos o tres que le gusten al terapeuta. Es importante diferenciar que hay personas en las que depositamos nuestra afectividad y en otras nuestro instinto. Hay aquellas con las cuales podemos hablar y otras donde uno tiene la "erección" del silencio.

En muchos casos cabe la posibilidad de no haber escogido una pareja tan completa como quisiéramos. Tenemos que aceptar las limitaciones de la persona con la cual compartimos nuestra vida y reconocer que no nos va a poder llenar todas nuestras expectativas. Lo cual es un hecho, la carencia existe; entonces podemos buscar en otra parte lo que necesitamos. Es una enfermedad, del hombre y de la mujer, exigir que la pareja responda a todas las expectativas. Esto es muy difícil y crea muchos conflictos. Más vale que tengamos presente que esto no va a ser posible, porque generalmente ésta es una actitud mutua, las dos personas andan en lo mismo. Y yo creo que esto demuestra posesividad y, por otro lado, una búsqueda del error del otro, para demostrar que la persona no es perfecta. Y como uno no quiere reconocer la situación, entonces establece sentencias y descalificaciones. Uno le otorga a la otra persona el derecho de estar al lado, pero no acepta la cantidad de expectativas que está demandando.

Es muy difícil aceptar que nadie va a cambiar. La convivencia es aceptar al otro como es. Es muy difícil que alguien, por todo el amor que nos tiene, nos cambie. No tenemos la fuerza, no somos nadie, para cambiar los síntomas. La pareja es que ambos acepten al otro como es. Si este tipo de conflictos se da en la pareja, en la relación terapeuta-paciente también se va a presentar y es mejor reconocerlo y darlo por natural, no por algo enfermo.

Se corren riesgos en la relación y esto es válido abrirlo con el paciente. Porque si lo que vas a poner frente a él es un rechazo, lo va a tomar como si él no gustara... Lo cual no es verdad, no hay una descalificación como mujer o como hombre. Hay que explicar cuál es la dificultad y en vez de obtener una descalificación se va a dar una revaloración, al aceptar que no está mal, que el rechazo no depende de ella, sino de que el otro tiene derecho a decir no.

El instinto no es sólo una erección sino una elección. Así se libra al paciente de sus fantasías de no gustar y que pueden estar entorpeciendo la profundidad del tratamiento. También hay que reconocer que no gustarle a quien uno le está depositando toda su confianza es doloroso y tiene una fuerte repercusión.

Así el terapeuta tiene que reconocer que fulanita o fulanito le gusta. Habrá pacientes en los que deposite su cariño, su ternura, su intelecto, y otros que movilicen su parte instintiva. Y esto tiene que abrirlo honestamente. En estos casos, las terapias de grupo son formidables, pues nadie quiere ser menos querido que otro paciente. Y así como un padre siente predilección por uno de sus hijos, el terapeuta siente preferencia por uno de sus pacientes. Y entre más se abra esto, más sano será, porque el derecho a querer es personal y uno les está enseñando a otorgarse ese derecho.

La cuestión sexual es todo un tabú. Todos los terapeutas lo sienten, muchísimos lo hacen y casi ninguno lo reconoce. Pero, ¿qué sucede si me gusta uno de mis pacientes? Nada. Ese es un derecho y volvemos a que ser terapeuta es ser persona, es reconocer lo que siento. Y será bastante sano que la o el paciente lo sepa, pero no como una estrategia terapéutica sino como parte del proceso, como parte de lo que se habla en una sesión donde se están revisando todos los aspectos de la vida. Inhibir el sexo es algo terrible, pues es parte de nosotros y tan importante como la razón o las emociones. Pero no hay que minimizar ni sobrevalorar el instinto.

Las situaciones sexuales entre terapeuta y paciente entrañan muchos riesgos. Si se utiliza el momento de transferencia sexual del paciente, éste puede convertirse en una amenaza para el terapeuta. Como es una etapa más instintiva que racional, el paciente puede quedar fijado en esa etapa y no mirar hacia atrás.

Yo prefiero hablar antes de coger y, después, si me dan ganas, lo hago. Si tengo una relación sexual con mi paciente y la relación se queda paralizada en el puro instinto, no habrá gratificación y sólo conseguiré que huya. Porque ése no es el momento para racionalizar sino para apasionarse, y la pasión es irracional. Entonces el otro se irá, herido, usado y frustrado. Aunque, probablemente, era eso lo que de manera velada quería obtener del terapeuta. Entonces, hay una trampa y el terapeuta tiene que estar muy alerta, porque el paciente puede estar buscando frustrarlo a ese nivel para poder irse, para demostrarle que tiene una falla, que él no es confiable. Es vital saber dónde está el terapeuta y dónde el o la paciente.

Hay neuróticos y neuróticas en todas las esquinas, pero no amantes. No se trata de acostarse con todos o todas. Se trata de tener la capacidad de ir a ese proceso a través del instinto. Y un instinto bien hablado se transforma en una relación más sólida. No se trata de hablar por intelectualizar. En realidad se trata de dos personas que se desean, que se quieren acostar. Entonces hay que aclarar si es coger por coger, por tener una relación sin ningún otro contenido, sin transferencia y contratransferencia, si no se está viendo al padre, si se pretende algo, si se quiere manipular... Y todo esto se puede hablar, y si los dos llegan a un acuerdo, por ejemplo tener la relación por la relación, pues es válido y es trabajo duro llegar ahí, con claridad. Ahora, cuando uno manda un mensaje y el otro lo recibe, es que andan en la misma frecuencia.

La transferencia y la contratransferencia sexuales existen, y es necesario hablar, romper el tabú, reconocer que es un material importantísimo, poderosísimo. Ahora, la contratransferencia sexual no sólo es "me gustas", sino también "no me gustas". El que no me guste sexualmente también es contratransferencia. Y esto es material de trabajo.

Las mujeres tienen una mayor capacidad de provocación del instinto sexual. Esto no es una posición machista. He visto a muchas terapeutas que llegan con una actitud de provocación, pero negándola. Provocan a los pacientes con su actitud, se sienten guapas. Y los pacientes sienten. Y el mensaje es recibido y produce una reacción. Pero luego, el paciente es reprimido y la terapeuta no reconoce su parte, no la acepta, independientemente de si son o no fantasías del paciente. Una terapeuta se arregla de una determinada manera para su paciente. Si no lo quiere provocar, es más honesto que se arregle con modestia. Por lo menos en México, muchas tienen esta actitud insinuante y a la vez represora. Lo que en el fondo es una actitud maternal: te quiero, pero no como hombre. Pero te seduzco como hombre. Exactamente como la madre. Eso es doble mensaje puro y no le deja otra salida al paciente que repetir el viejo esquema. La terapeuta tiene que ser congruente, si provocó como mujer debe encarar la respuesta como tal y no como madre. Si actúa como madre debe ser explícita.

* * *

Se trabaja poco con los sueños eróticos. Se invita a la represión, aun en los sueños. A pesar de saberse que los sueños son honestos y que expresan los deseos más reprimidos. También hay represión en la represión. Se reprimen los sueños. Yo, como terapeuta, invito a que antes de dormir se hagan lecturas adecuadas para inducir al erotismo, para despertar la mentalidad sexual y erótica. Recomiendo libros de contenido sexual y películas pornográficas. Simplemente intento despertar la vitalidad sexual, abrir el instinto. La capacidad erótica incluye todos los sentidos. Y no todos los instintos fueron reprimidos, algunos fueron reprimidos olfativamente, otros táctilmente, otros de manera visual, etc.

Como no todos los sentidos fueron reprimidos en la misma medida, habrá algunos más libres, más limpios. No todo tiene que pasar por el mismo filtro. Y es importante ver cómo se relaciona esto con ciertos padecimientos. Muchas enfermedades expresan enfermedades interiores. Podemos decir que la miopía tiene que ver con un problema intrauterino, un problema de distancia. Las alergias manifiestan una necesidad de contacto. Las dermatitis y las afecciones gastrointestinales proceden de una rabia interna, etc. Tenemos que estar atentos a distinguir cuáles son las manifestaciones corporales de la somatización. Muchas de ellas son de claro contenido sexual. Uno puede llegar a producirse una ceguera con tal de no ver.

El trabajo del terapeuta no es quedarse en el consultorio, sino darle a su paciente material de trabajo suficiente, para que se manifieste con libertad en donde esté. Que se porte más libremente y pueda jugar con la fantasía. Es más fácil entrar en una terapia del desnudo apoyado por el baile, por la expresión corporal. Existen ritmos que invitan al erotismo sano y natural. Bailar por bailar. Pues estamos esperando el permiso de la autoridad para poder, al menos a través de eso, expresarnos. Las fiestas, las discotecas, tienen como fin el erotismo, el contacto.

La terapia tiene como fin abrir todos los caminos de comunicación. No sólo insistir por un lado único. Lo tradicional es entrar a todo a través del solo pensamiento. Por esto yo invito mucho, en las terapias de grupo, a cambiar de roles. Pues en nuestra cultura están muy marcadas ciertas conductas como prohibidas para uno u otro sexo. Muchos males que padecemos se originan por esos roles, nos aferramos a ellos a pesar de que no nos satisfacen. No queremos soltarlos porque, en el fondo, no creemos tener alguna identidad. He visto, por ejemplo, que hay mucho contenido psicológico en el simple hecho de que uno o varios hombres vean a una mujer hacer pipí. No se siente malestar por ninguna de las partes. Y algo así de simple puede tener una repercusión psicológica.

La cultura divide todo, separa todo, prohibe todo. La terapia invita a ser anónimo. Uno tiene que trascender la terapia.

Yo insisto en trabajar las cosas que son naturales y que todos conocemos. Por ejemplo, que un macho mexicano juegue muñecas con hombres de verdad, que se permita ir abriendo un espacio interno. Porque el machismo se debe a un exceso de feminidad. Lo que tiene atrapado al macho es un exceso de receptividad, de pasividad. Un deseo enorme de ser protegido. Eso es lo que esconde el machismo.

También es importante que los pacientes se atrevan, en pareja, a jugar con todas sus fantasías sexuales. Que aprendan a dar libertad plena. Todo está permitido. Todo es sano. Todo es parte del juego y enriquece. Para dejar de ser máquinas que sólo repiten. La repetición aburre y termina asqueándolo a uno de todo lo mecánico. Entonces, no confundamos, no me refiero al morbo, al contenido reprimido, sino al erotismo natural que necesita, también, el estímulo de la mente.

Estar abierto y abierto a todo. No dar nada por presupuesto, por sabido. Por ejemplo, no presuponer que las mujeres tienen que ser penetradas y que los hombres son violadores. Por experiencia me he convencido que independientemente de que hay violadores reales, en la mayoría de las mujeres violadas, después de los 5 ó 6 años, hubo una parte de ellas que tuvo que ver con la violación. No es que diga que es correcto violar, aunque haya habido una "invitación" a ello, no está bien. Pero tampoco se puede eludir la responsabilidad de la violada, así sea una niña. Porque si ella no lo asume, se volverá a repetir.

Hemos tomado decisiones, en épocas muy tempranas de nuestra vida, que van a ser determinantes para nuestra existencia. No digo que sean decisiones tomadas a conciencia, que dependen de la razón, sino que están en un plano más corporal, más energético. Son decisiones del ser y van a determinar lo que vamos a vivir. Por ejemplo, si nulificamos el deseo de ser violada, se producirá una repetición del hecho. En esto tengo mucha experiencia. No he conocido ninguna mujer violada que no haya tenido el contenido y la estructura para ser violada. Esto también lo he visto en los violadores. Tienen que ser castigados, tienen que ser juzgados como tales, porque desenmascarado el juego, se acabó la estrategia.

Si trabajamos con la salud no podemos tener prejuicios. Dime cómo son tus relaciones sexuales y te diré cuál es tu psicopatología. Tal como te entregas a tu relación, así es tu carácter. Esa es tu forma de ser, ésa es tu personalidad. Ahí se transparenta tu patología. Es imposible dejar de ser lo que se es y en la sexualidad se manifestará más. La sexualidad responde a lo que uno es. Esa es la congruencia tanto de la salud como de la enfermedad. Las conductas que uno exterioriza reflejan nuestra interioridad.

Cuando trabajo la sexualidad también reviso la situación religiosa. No puedo imaginar la presencia de un ser sin su dimensión espiritual. Y no puedo trabajar con un individuo que tiene un Dios asexuado y moralista o represor o castrador. He observado que la distorsión de mi visión será del tamaño de mi Dios. Mis distorsiones provendrán de la forma como perciba a Dios. Podemos percibir ese Dios como un padre sublimado o negado. Los grandes ateos han sido hombres dependientes y con una terrible transferencia negativa hacia la figura paterna. Entonces, sexualicemos al padre y sexualicemos nuestra sexualidad hacia el padre. Permitamos que se manifieste, porque nuestra identidad sexual es él, no otro. De la misma manera, la identificación de la mujer será con la madre. Entonces, si no revisamos la sexualidad de los padres no podemos revisar la nuestra.

No sé cómo es la sexualidad de Dios. Pero conozco la mía. Sé que mis pacientes tienen la suya. Creo que Dios es muy erótico, muy sexual y que le encanta el placer. Todos los hombres vinimos de un acto sexual. Cada uno comenzó en un orgasmo, independientemente de la calidad de éste. Estoy convencido de que los padres se regocijan en nuestra sexualidad y que Dios se regocija en nosotros y nosotros en nosotros a través de regocijarnos en los demás. Porque es una gran satisfacción ver un hijo completo. Un hijo erótico, una hija erótica, libre y gozosa sexualmente. Así los padres se regocijan en la sexualidad del hijo porque es la suya propia. Cuando hay malestar, estriba en que la falta de gozo de ellos impide que se lo permitan a los hijos. Como ellos no lo tuvieron, tampoco lo van a tener los hijos. Entonces las deidades se vuelven represivas y castrantes. Esto se da en padres frígidos. Yo recuerdo el caso de una madre frígida y de un padre puritano. Tuvieron una hija ninfómana, otra lesbiana y el hijo con tendencias homosexuales brutales, obsesivo y compulsivo en el sexo. Es que la represión se volvió volcán.

Respecto a los pacientes homosexuales, hay que entender esto como una decisión sexual, no como una patología social, no como una desviación. En estos casos, los terapeutas se apegan a la idea de cambiar y transformar al paciente. Lo cual es una falta de respeto hacia su decisión. El trabajo del terapeuta no es cambiar a alguien, sino lograr que los pacientes se reconozcan como son, independientemente de sus decisiones sexuales. Si no, es volver al viejo juego de no hablar de sexo o que cuando no nos gusta cierta conducta sexual, la consideramos determinante de toda la persona. Un terapeuta tiene que ser una persona muy abierta y debe tener una muy buena y libre comunicación corporal. Así aumenta la posibilidad de que las decisiones del paciente se manifiesten libremente. Lo mismo vale para la terapeuta mujer.

En las situaciones de homosexualidad, la primera en darse cuenta es la madre, pero es la última en aceptarlo, cuando por lo general fue ella la determinante de esa postura. Hay casos en que tiene que ver con el padre, y otros con ambos. Pero es muy difícil reconocer que se empujó al hijo a esa conducta o que el hijo tomó esa decisión para agradarles. Aquí la forma de ocultar consiste en rechazar al hijo después que ha tomado su determinación. Porque el rechazo afirma la dependencia, así como la aceptación de las conductas del hijo confirma su libertad.

Independientemente de que el sexo del terapeuta es una determinante, sea hombre o mujer, lo debe utilizar en sentido positivo. Porque una cosa es que exista una determinante en la decisión sexual y otra en que se haya dado por odio. La homosexualidad no lleva consigo el odio hacia la mujer. Eso es otra cosa. Y aquí le toca al terapeuta limpiar el camino. Para que asuma su decisión como tal, y no como un imperativo de la vida y de sus relaciones. Todavía existen terapeutas que consideran la homosexualidad como un problema neurológico, otros como hormonal. Consideran que no tiene nada que ver con la androginia, ni con el hermafroditismo, sino que es una conducta. Conozco terapeutas que buscan una curación a través de la hormonoterapia. Conozco monstruos salidos de esas terapias. Todo esto no es más que una proyección del terapeuta que se ve reforzada en la mentalidad de padre y/o la madre.

La religión, especialmente la judeocristiana, tiende a igualar sexo y maldad. Nos guste o no, la sexualidad se relaciona con el mal, aunque el demonio carga con una gran parte, la otra se le atribuye a los instintos. Se considera lo instintivo como pecaminoso. Y no es fácil, después de haber mamado esas normas, presumir de la libertad. Además, muchas veces confundimos la libertad con reaccionar contra. Entonces, sexualizarlo todo no es una liberación, sino una confirmación de que estamos siendo reactivos al mito, al tabú.

Uno debe revisar todo lo anterior. En el consultorio se va a presentar todo. Habrá pacientes buenos que se volverán malos y habrá malos que se volverán buenos. A la luz de nuestro trabajo no hay parámetros, por eso no podemos seguir los de la psicología tradicional. Los seres humanos son individuos y hay que tomarlos como tales.

Si no se trabaja la sexualidad libre y abiertamente, con todos los temores que infunde el asunto, no podremos hablar de un trabajo profundo.

Quiero contar un trabajo mío. Hice una regresión muy fuerte... Yo era un pequeñito de unos 4 años. Estaba en brazos de mi padre y pude sentir toda su sexualidad, el erotismo que desprendía... Eso me hizo entrar en un sentimiento de mucho coraje, de mucha rabia. ¿Cómo es posible que tú, mi padre, abuses de tu sexualidad ante este niño? Pero cuando acabó el trabajo, tuve que reconocer con vergüenza que él me gustaba. Que todo lo anterior era una mascarada para ocultar mi deseo y que no creo que ese deseo haya sido sólo de su parte, pues también había una gran parte mía.

Cuando el niño está en el instinto puro, no hace distinción de sexos. Tan erótico es su padre como su madre. Como de esto no se habla con libertad, es reprimido. El hijo siente la presencia, la virilidad y la sexualidad de su padre. Siente la presencia, la feminidad y la sexualidad de su madre. Y el niño es durante un gran tiempo un ser bisexual, no porque tenga los dos sexos sino porque siente en todos lados. Así tal vez la mejor palabra no sea bisexual, sino persona sexual total. Al niño le gustan, le atraen y le excitan los estímulos que provienen de los dos padres, al niño le gustan los dos. Y este hecho no tiene ningún contenido moral.

***

Hay formas en las que cristaliza un buen proceso terapéutico. Mis pacientes siempre me preguntan cómo van, cómo va su transformación. No siempre puedo responder. Una de las cosas que les he garantizado al comienzo, es que van a mejorar su posición económica, que van a obtener un mejor puesto o una mejor remuneración. Porque la autovaloración, que es uno de los fines del proceso terapéutico, se manifiesta en el exterior, se cristaliza en dinero.

El dinero tiene como único fin ayudarnos a pasarla bien. Necesitamos dinero para todo. Y si hay una movilización interna, que toca todos los puntos, debe tocar también el factor económico. Se requiere revisar cómo lo manejó el padre, cómo lo manejó la madre. Tiene que ver con el dar y recibir. Tiene que ver con la manipulación a través del dinero. Revisando nuestras historias, algunos encuentran una repercusión de carencia, otros una de sustitución afectiva... Así unos se vuelven fóbicos o contrafóbicos al estar en determinadas posiciones económicas. Para mí es claro que el paciente necesita saber que vino al mundo a pasarlo bien. Tampoco se trata de negar la problemática.

Un principio de salud es la resolución de los problemas económicos. No se puede hablar de salud si se tiene semejante boquete. La resolución de esta problemática es lo mínimo que uno puede desear. Mientras uno tenga ese nudo ciego, es una mentira decir que uno se puede dedicar a uno mismo. Lo económico distrae y tiene un gran peso. En nuestra sociedad es imposible sustraerse a los estímulos de la materialidad. Los problemas económicos son una forma de complicarnos la vida, pues impiden cualquier desarrollo personal.

Yo dedico mucho tiempo, al principio, a ver los impedimentos, a averiguar por qué se teme a la abundancia, cuáles son los contenidos del miedo. O a qué corresponde elegir la miseria externa. Porque todo cuesta, todo. Tal vez damos por ternura o por el solo deseo de dar. Todo tiene un valor económico. De ahí que muchos pacientes y terapeutas se conflictúen en el pagar y el cobrar. Existe el miedo a cobrarle porque se me va, pero si no me paga me molesto, pero no se lo digo. Hay que negociar con todos los pacientes. El dinero manifiesta amor, capacidad de aceptar el trato y el contrato; manifiesta el respeto hacia mi honestidad, trabajo, y un principio de salud para el paciente. Yo vivo de esto y no del conflicto de no cobrarle. Muchos terapeutas no cobran para mantener una deuda de por vida con el paciente. Yo prefiero que me paguen y no conservar una deuda, sea económica, moral o espiritual. No es que el dinero tenga contenidos psicológicos, pero sí es el símbolo de otros contenidos, porque el dar se manifiesta de muchas formas y una es a través del dinero, que es la concretización de una verbalización, de una intención o de una emoción. La única función que tiene el dinero es darnos placer. A eso vinimos al mundo, a pasarla bien. Tenemos que trabajar para dejar de trabajar y poder hacer lo que queremos. Trabajar mucho para obtener una pensión digna, pero llega el momento en que hay que parar, porque uno ofende a Dios si lo hace de más. El agradecimiento es saber guardar, es desde joven ir llenando las bodegas para poder descansar y poder decir: ahora voy a gozar de todo lo que me he dado, así como gocé cuando me machuqué y me esforcé. Es muy importante en la formación del carácter echarle ganas a la vida y no regresar a una situación intrauterina. Gozar y dar lo que uno quiere, cuando y como se quiere. Y uno ya no quiere quedar bien con nadie y tiene satisfechas sus necesidades primarias, uno es y uno da. Lo que hay es uno. Por eso el terapeuta que no sabe cobrar, no sabe reconocer este derecho, porque se le hace poco lo que da, devalora la curación y su propia presencia. Muchos terapeutas tienen problemas al cobrar, lo cual corresponde a sentimientos de desvalorización interna, y los pacientes los huelen, por lo que caen en estados de miseria tercermundista, produciéndose situaciones de carencia recíproca. Resolver este problema es muy importante, que se pague lo que el terapeuta pide, para que no queden deudas emocionales pendientes, para que se cumpla por igual el contrato.

Entonces, ¿cómo se puede ver una evolución del paciente? Pues, que a los primeros seis meses manifieste menos conflicto económico, más valía personal, algún cambio laboral o de lugar. Porque otro de los problemas es colocarse donde no pueden ser vistos, donde hay carencias. También que al distribuir el dinero no sólo sea agradable para los demás; deshacernos de dinero es deshacernos de nosotros.

Si revisamos bien, en una terapia el símbolo que tiene más contenidos psicológicos es el dinero. No porque los tenga en sí, sino porque se los ponemos. Podemos demostrar con éste la capacidad de dar y de recibir. El miedo se trasparenta, así como todos los mecanismos de nuestra cultura. Por esto no revisar lo económico es no revisar. El dinero tiene una sola función: procurar placer.

* * *

Según los diferentes rasgos de personalidad se tienen diversas conflictivas económicas. Cada uno enfoca los conflictos con el dinero de una cierta manera.

Hay pacientes que tienen como problema su incapacidad de retener. Y se pasan la vida trabajando como burros. Lo que intentan es sustituir una carencia de presencia con un excesivo dar de dinero. Dan como compensación de su ausencia.

Otros tienen la compulsión, derivada de un exceso de culpabilidad interior, de pagar siempre por la presencia de otro, sea la amistad, la pareja o los hijos. Su actitud no se basa en la generosidad sino en la culpabilidad.

Otros están atrapados en creer que hagan lo que hagan nunca van a tener. No saben tener, no saben obtener satisfacción. Ese juego de carencia sustenta una actitud masoquista. El juego de no tengo posibilita el sentirse una víctima de la vida, del destino o de la mala suerte.

Hay otros que sienten un desierto interior. Desde un comienzo se siente una aridez que conduce a una avidez de dar, pero no porque se desee dar, sino porque no se tiene. De entrada tienen una postura desértica, que obviamente está manifestando una problemática afectiva, que se refleja en el dinero.

Algunos están en el no-límite. Tienen una postura excesiva, un exceso de dar. Pero es una abundancia enferma que se manifiesta de manera compulsiva.

Otros pacientes intentan materializar el exceso de emoción en el logro de altas posiciones. Hay una búsqueda en la que se cree que la única forma de estar bien es ser el mejor, estar arriba de todos. De esta manera sustituyen sus carencias afectivas.

Así como para algunos el problema es no tener, para otros el problema es tener en exceso. Otros quieren proyectar una imagen de que tienen demás, toda su energía, toda su tensión se orienta a aparentar una mejor posición. Esto se evidencia en lo exterior, en el vestir, en algo que sea visible para todos. Es una exageración exhibicionista. Hay quienes derrochan en lo económico como una estrategia para no comprometerse. Sustituyen lo material por un no-compromiso. O ponen todo el compromiso en lo económico y evaden lo afectivo.

Como se ve, hay tantas maneras de tener problemas económicos como maneras de personalidad. Algunas enfermedades son productivas económicamente y hay otras que cuestan muchísimo dinero. Por lo regular, quienes presentan este tipo de enfermedades son personas que tienen un gran sentido de motricidad y están totalmente afuera en la compulsión.

Algunos problemas se manifiestan en el área de la acción, otros en el intelecto —tienen que ver más con sustitución y/o carencia—, otros en el área afectiva, por lo que tienden a ponerle cierto contenido a la imagen, es decir, exteriorizan a través de imágenes y posturas.

Subrayo lo siguiente: si yo soy, yo tengo. El ser se manifiesta en el tener. Yo no puedo ser en carencia. El yo soy está en todas las posibilidades de la existencia y el yo puedo está en la capacidad de recibir.

Los problemas económicos sólo se manifiestan cuando yo quiero ser el centro motriz de la receptividad y de la productividad en todo ámbito de negocios o que tenga que ver con el dinero.

Es importantísimo reconocer las limitaciones que tenemos. Cada quien tiene sus propias potencialidades. Por eso necesitamos a los demás. Yo soy alguien, yo produzco algo. Pero necesito de otro para que se reproduzca. Y aquí entra en juego la labor de equipo, la compañía. Para que haya riqueza se necesita un equipo. Allí se disuelve el ego para que ganemos todos. Uno tiene unas capacidades y otro es hábil en un campo distinto. Hay riquezas individuales, pero la verdadera riqueza se da cuando reconozco mis límites, reconozco tu productividad y reconozco que el equipo es importante, que la sociedad es importante. Podemos enriquecernos todos con nuestra riqueza. Y debemos tener conciencia de los límites para poder gozar del dinero.

Para mí es muy claro que no vine a esta vida a trabajar para tener. Vine a trabajar para dejar de trabajar. A trabajar para poder gozar. No vine a dejar una herencia para mis hijos y nietos, pues el mejor legado será la capacidad de producir por sí mismos, la capacidad de amar el trabajo. Tres cuartas partes de la vida son trabajo, la otra es amor.

Una de las labores que el terapeuta debe llevar a cabo es ayudar a su paciente a colocarse en el lugar adecuado. Estar en el sitio adecuado equivale a ser productivo. Tenemos que lograr una congruencia entre todo lo que le gusta al paciente y su capacidad. Si se logra estar en el lugar que se quiere y con el nivel de capacidad requerido, será posible obtener una buena gratificación y mejorará la situación económica. Tenemos que realizar un esfuerzo continuo para que este proceso cristalice. En la mente debe haber un deseo de vivir bien. Es necesario que el deseo, la emoción y la acción sean congruentes para materializar esto. Así se logrará la gratificación.

Un toque de locura

Muchos de los casos que en psicología y psiquiatría se consideran irreversibles o de muy difícil recuperación total son lesiones cerebrales y esquizofrenias. Por lo general, en los tratamientos tradicionales de esos casos hay un mínimo de recuperación y es casi nulo el levantamiento de la amnesia. Estos diagnósticos desahucian al paciente. Simplemente, nada que hacer.

Se me enseñó que ante un daño orgánico el paciente no podía hacer nada por sí mismo y tampoco el terapeuta. Sólo podía intervenir el psiquiatra, a través de fármacos y nada más. Considerando esto como verdad absoluta, nada se podía hacer. Sólo esperar el deterioro del paciente hasta verlo convertido en enfermo crónico.

Para estos pacientes, la palabra salud carece de contenido. En otras palabras, se acepta la incapacidad de su voluntad.

¿Cuál es la responsabilidad de un psicótico? ¿En dónde le corresponde estar a un enfermo psiquiátrico, ante sí y ante el mundo? ¿Es responsable de su autocuración? ¿Qué puede hacer para curarse, independientemente de que haya o no lesión cerebral? ¿Qué postura debe asumir el terapeuta? ¿Qué alternativa brinda la sociedad? ¿Cuál es el papel que juega la familia?

Considero que sólo podremos hablar de una verdadera psicoterapia cuando la esencia de nuestra búsqueda sea la verdad del paciente, la que lo llevó directa o indirectamente a alterar su insatisfactoria realidad. Aceptar que estas personas son intratables es sólo en apariencia una posición pasiva, pero en el fondo es violencia negada.

Es más fácil ser o tener enfermos psiquiátricos que aceptar nuestro monstruo interno.

Al defender al enfermo lo que quiero decir es que entre más responsabilicemos a la enfermedad, más perderemos de vista la salud; esta es una estrategia en que el victimario se convierte en víctima. Mientras paciente y terapeuta acepten este contrato, ambos tendrán el mismo deseo: darse por vencido ante la vida. Lo que equivale al retorno, tan deseado por el niño, hacia la madre para que lo cuide y proteja.

He observado que aunque muchos psicóticos manifiestan un gran desapego e independencia, la gran mayoría manifiesta a través de su conducta estados uterinos, como si su cotidianidad trasluciera su independencia.

Lo que me preocupa es qué hacer con los enfermos psicóticos, cuál es la terapia más efectiva. La clínica me ha demostrado que el mejor método es el no método, a través de las actitudes, porque sólo así se manifiesta el yo completo, lesionado o no. Una actitud sólo está presente cuando uno, como terapeuta, se puede manifestar con libertad.

Para poder trabajar con psicóticos, la esencia de la curación está en saber que son curables. No como queremos los terapeutas, sino como pretenden ellos.

La conducta no determina al ser. Diagnosticar conductas es nulificar la curación. Muchos diagnósticos fatalistas nos protegen de nuestra ignorancia, no respecto a conocimientos teóricos, sino acerca de nuestro propio desarrollo personal.

Usualmente lo que aprendemos sobre patología lo convertimos en "ley universal", así nos protegemos de nuestra inmovilidad interior, y ninguna patología del exterior nos afecta.

Todo terapeuta sólo curará lo que haya sido capaz de contemplar en su interior. Kafka decía que quien no se reconoce como un homicida y un suicida potencial no puede considerarse un hombre moral.

La locura es tratar de ser antes de morir. La locura es la búsqueda de la salud y requiere mucha valentía por parte del sujeto. Recordemos que uno de los terrores más grandes es perder el control.

Los psicóticos nos hacen evidente que nosotros consideramos la libertad como inmoralidad. El terapeuta prejuicioso intentará reprimir a su paciente y tendrá muchas probabilidades de ignorarlo. Toda libertad desquiciará al terapeuta, pues pondrá en evidencia sus núcleos irresueltos.

Hablar de salud, en el caso de un psicótico, dependerá de lo que el terapeuta conciba como salud para sí mismo y por sí mismo, sin contar con el apoyo de una psicopatología.

A los pacientes hay que tratarlos sin los prejuicios de la enfermedad. Si los eximimos de sus deseos, convirtiéndonos en paternales, deseo innegable del paciente, los liberamos también de ser personas.

Tengamos presente que la locura es la imposibilidad de digerir el sufrimiento. Si los terapeutas nos convertimos en estómago del paciente, aniquilamos toda posibilidad de recuperar su sufrimiento.

Nuestra intención es construir un puente entre sentir y pensar, pero nuestra actitud como terapeutas debe enseñar sin palabras que se puede sentir el sufrimiento. Ya que si no hay aceptación hacia el dolor no habrá placer, pues éste es conciencia corporal. En el psicótico sólo hay placer irracional, impulsivo, el plato favorito del ego.

Una gran mayoría de los terapeutas llegamos al insight mental creyendo que nuestra problemática está resuelta, cuando lo único que hemos logrado es una anestesia interior, una protección frente a la enfermedad similar al conocido robotismo de todo paciente psiquiátrico.

Es de vital importancia no considerar el daño orgánico como sinónimo de imposibilidad de hacer algo por el paciente. El trasfondo debe ser la búsqueda de la salud.

No deben existir prejuicios basados en conocimientos puramente académicos, supuestamente comprobados por otros; sabemos muy poco del ser humano. Es común que muchos pacientes psiquiátricos sean atendidos por profesionales en formación, que van a hacer sus prácticas universitarias y sus servicios sociales, y cambian cada semestre abandonando así sus pacientes. Los resultados no requieren análisis. Los perjudicados son los locos. El trato como personas no se aprende en la universidad y nadie puede considerarse terapeuta si no es persona.

Si nuestra perspectiva es no encasillar, no etiquetar al paciente, quedaremos liberados del prejuicio y nuestra meta se ceñirá al trato cotidiano que es donde está la salud.

Tenemos que sacudir a la enfermedad de nuestras distorsiones abriendo un campo de mayor comprensión hacia la salud. Opino que la salud va más allá de la funcionalidad estadística. Quien vuelve crónico a un paciente es el mal terapeuta.

Los ingredientes de la sopa

Es muy importante reunir a todos los integrantes del núcleo del paciente, lograr que todos hagan acto de presencia. Cómo voy a trabajar el machismo con un hombre cuando sé que, con mayor probabilidad, su punto más vulnerable será su mujer. Cómo voy a trabajar con una mujer desvalorada por su marido si él no está presente. Si los problemas son de pareja, bueno, que venga la otra parte. Yo no puedo decir que estoy haciendo una psicoterapia profunda si estoy trabajando sólo con el paciente. Eso es delirante y manifiesta mucha prepotencia de parte del terapeuta. El terapeuta intenta acortar el camino y es preferible que el paciente traiga a su familia, antes que siete o quince años de diván. Le va a salir más barato y va a ser un proceso más rápido. Si los padres viven, si la familia existe, pues que vengan al consultorio. Así se podrá quitar la amenaza del paciente y la amenaza de sus padres hacia él. La única forma de superar la amenaza es con la verdad. Que ellos vengan y vean la realidad, que sepan que si tienen un hijo loco en gran parte se debe a ellos. Que la mujer que escogió está loca por haber escogido a un loco como él. Así se caen las fantasías y se puede trabajar con la realidad. Y no desde la omnipotencia omnipresente del terapeuta que cree que puede trabajar solo toda la conflictiva del paciente. O que yo, como hombre, puedo solucionar los problemas como mujer. Esa es otra mentira. Considero más fácil que estén todos los implicados y que cada cual se ponga el sayo que le corresponda. Estoy convencido que así voy a acercarme a la realidad.

Me es más sencillo trabajar con la realidad que con la distorsionada versión de las realidades de los demás, según mi paciente.

Este tipo de sesiones procuro hacerlas en su casa, en su propio hábitat, porque ahí es más fácil que se presente lo que se sabe y porque el problema se presentó ahí, no en mi consultorio. Entonces, parte del trabajo es desplazarse, ir. Esto ha valido la pena, he obtenido excelentes resultados. Al trabajar con la familia uno no sólo está buscando la salud de sus miembros, sino la de todos. Entonces mejoran las posibilidades, porque vamos a un bienestar común. Pero que quede claro, el bienestar es de todos y no de acuerdo a una idea fija de lo que es salud. Es una claridad hacia la verdad. Que la búsqueda sea común y apunte hacia la verdad, no a satisfacer a alguno de los egos.

* * *

Cuando un paciente llega a mí trae la verdad, pero no toda la verdad. Más aún si es un joven o un adolescente. Como para mí la terapia familiar es básica, aclaro desde un principio que no me voy a detener en la terapia individual, sino que procuraré ver a todas aquellas personas que han colaborado, directa o indirectamente, a que el paciente llegue a mi consultorio. Necesito todos los ingredientes de la sopa, los padres, los hermanos, la pareja, los hijos: la familia.

Acostumbro dar sesiones de terapia familiar en casa del paciente y la sesión puede durar un día o más; puedo ir a vivir con ellos una temporada. Este es el contrato que establezco. En el medio ambiente familiar, el terapeuta tiene más posibilidades de acercarse a las situaciones reales.

Una cosa central es que el hijo sea el testigo número uno en el desenmascaramiento de los padres y viceversa, de tal forma que se evidencien los sistemas de manipulación que se han establecido entre ellos. Esto debe ser público, frente a toda la familia. Así, cuando uno acepta ser el enfermo puede indagar en la parte que le corresponde al otro, lo que sucedió para llevarlo a ese punto. Solamente a través del desenmascaramiento, que es un acto de contrición, se pierde la intención negativa. Incluyendo de manera abierta la historia de los padres, surge una comprensión. Y la comprensión debilita el juicio, el rencor y el resentimiento. Se descubre que el padre ha callado, que la madre ha callado, que el silencio es cómplice de la enfermedad y que se ha hecho daño con la discreción.

Cuando uno logra destapar el juego y ponerlo sobre la mesa, la visión de la problemática es muy diferente.

Es importante tener claros los límites y derechos que se otorga cada quien. Recuerdo el caso de un jovencito de catorce años. Me lo trajeron porque tenía un sentimiento de culpabilidad altísimo. Le pregunté: “¿Por qué estás aquí?”. Y él respondió que por haber golpeado a su madre. Yo le dije: “Te felicito muchacho”. El, la madre y el padre quedaron desconcertados. Pero cuando armamos la historia de los padres, resultó que el padre golpeaba a la madre y eso era legal. Así, el padre podía golpear a su esposa, pero el hijo no podía golpear a su madre. Ahora, yo insinuaría que tiene más derecho el hijo de golpear a la madre, que el padre de golpear a la esposa. La relación hijo-madre es más real que la relación esposo-esposa, pues es una relación biológica.

Nadie tiene derecho a nada. Pero se da derecho a todo cuando alguien es dañado, cuando se invita a otro a hacer lo que hace uno. No podemos pedir lo que no hemos otorgado. Pero no haber otorgado un derecho no implica no haber invitado a que se lo tomen.

La terapia familiar es de suma importancia porque las distorsiones y fantasías se deshacen, se debilitan. Romper en público al coloso del padre o la madre es muy saludable para el vástago. Ver que los padres son tan humanos como los hijos es una de las metas. La verdad es curativa, sea la que sea. Lo único que tenemos es lo que somos. Lo que nos ha hecho daño es aparentar lo que no somos. Cuando se derrumban las falsas autoridades, los mitos, los fantasmas, los deberes, las situaciones sociales y culturales, el que pese más el qué dirán que el amor a un hijo, los prejuicios y las castraciones por causas económicas... vemos que los padres han actuado como verdaderos homicidas de sus hijos, produciendo suicidas no sólo en el sentido evidente de los que se cortan las venas, sino en el más sutil, que los hace insensibles o destructivos en la vida cotidiana o los convierte en seres invisibles ante la presencia de los padres. Es cuando se mantienen las situaciones que dejan insatisfecho al hijo, porque los miedos y fantasmas de los padres les impiden entregarse, con lo cual garantizan las dependencias y simbiosis eternas.

De todo eso hay que hablar. Hay que tener la libertad de expresar la maldad. La maldad de la ignorancia y de la misma enfermedad. A esto lo considero curativo, porque sólo a través de la comprensión puede uno dejar el resentimiento. Hay que saber las historias de los padres, saber cómo se formó su carácter. Hay que aclarar los celos y la posesividad. También los padres deben poder decir con libertad que quieren más a un hijo que a otro. Un padre tiene derecho a decir "te odio" a un hijo, "te detesto porque me recuerdas a mi padre o a mi hermano o a alguien". Esta libertad para expresarse es sanadora. El hecho de haber mantenido ese tipo de sentimientos ocultos ha causado la enfermedad, la insatisfacción, el desasosiego y la destrucción del núcleo familiar. El hijo también puede decir con libertad, hasta el cansancio, que está harto de tanto error, de tanta injusticia de sus padres. Este es el camino a la limpieza. Y limpiar es manifestar lo que somos. Esto nos puede producir vergüenza, sí. Pero hay que darle más cabida a la vergüenza que a la culpa. La vergüenza es sanadora. La culpa sólo es una garantía de que habrá repetición.

Con el corazón abierto hay mil veces más posibilidad de que no haya resentimiento, de que no haya malas interpretaciones. Todo es posible cuando todos los miembros del núcleo familiar están dispuestos a desnudarse, a ser desenmascarados, a no justificarse por el estatus que da la paternidad. El padre le quita al hijo lo que su padre no le dio. El abuelo le da al nieto lo que su hijo le quitó. Entonces hay que poner las cartas sobre la mesa.

La labor del terapeuta es importantísima en este trabajo. Mucho dependerá de que pueda movilizarse libremente y estar presente con cada uno de los integrantes, sin darle a ninguno lo que no le corresponda. Deberá ser limpio y justo. Lo justo no se establece de acuerdo a las pretensiones sociales o psicológicas de salud; lo justo es poder trascender la situación y que el amor, la comprensión y la aceptación sean el vínculo verdadero de la unión.

Incluso en los casos de daño cerebral o enfermedades ocultas de los padres, prefiero comenzar diciéndole la verdad al hijo. Lo mismo si es hijo o hija adoptiva. Si alguien tiene un daño cerebral hay que decírselo, así se quitan las suposiciones y fantasías del hijo respecto a las demandas que sus padres le presentan.

Considero necesario que las biografías se hagan en familia, que cada quien haga su autobiografía y que se lea frente a los otros miembros de la familia. Yo he visto que cuando los hijos perciben que sus padres están igual que ellos, experimentan un gran alivio. También ocurre lo mismo en sentido contrario. No ocultar nada a los hijos, no hay nada, así sea muy negativo, que no pueda comprender el hijo. Y esta comprensión será para su bien. La verdad no hace daño. Pero el ocultamiento y la mentira afectan mucho. Ser un padre humano que habla con libertad a su esposa delante de sus hijos, es muy sano. Porque por más que se oculte, la verdad termina saliendo, pero oscura y enferma.

Los hijos saben lo que sucede con los padres. De igual manera los padres saben lo que ocurre con los hijos. Tal vez no quiera interpretárselo con claridad, porque los padres pasan al banquillo de los acusados. El hijo le recuerda al padre y a la madre las asignaturas pendientes. Cuesta mucho reconocerlo. Los hijos hacen a los padres. El hijo es la escuela del padre. La mejor educación que un padre puede dar es la transparencia y la verdad de su propio desconocimiento. El desconocer se quiebra al reconocerse la ignorancia. Entonces también cae la imposibilidad de ser lo que no se puede ser; las cargas impuestas con prepotencia sobre el otro. Así se comienza a limpiar la casa, cuando nadie pretende agradar a nadie, cuando nadie quiere imponerse y cuando cada uno tiene un sitio y un papel dentro de la familia. Entonces sí podemos hablar en familia. Todos se aclaran: el papel del padre es el del padre, el de la madre el de la madre, el del hermano mayor es del hermano mayor y así hasta el perro. Tenemos que comprender que sustituir una persona es un mal negocio; que darle a un hijo el papel que no le corresponde, engendra conflictos. Todos tienen un tiempo, un espacio, un papel, solamente suyo.

Esta tarea es un reto muy grande para el terapeuta, porque tiene que tener resuelta la situación con su padre, con su madre, con sus hermanos; debe moverse en todos los roles. Ahora, si no lo ha resuelto, que lo aproveche. Tiene una verdadera oportunidad de crecer. Porque lo justo es que el terapeuta cuente lo injustos que fueron con él, las imposibilidades que ha tenido para resolver ciertas problemáticas con su familia. Hacer terapia familiar de esta manera, es una gran oportunidad para un terapeuta, porque revisar es muy sano. Es sano ponerse al día, sospechar algo que se nos pudo haber olvidado o pasado por alto. Si descubrimos algo pendiente, éste estará en esa casa. El nudo ciego está presente allí y es obvio que nos tocará mojarnos primero.

Entonces, ¿cuáles serán las dificultades del terapeuta en una terapia familiar específica? Pues, las mismas que está manifestando la familia. Por lo que con toda honestidad tendrá que involucrarse, aclararse y expresarse en voz alta, para que todos sepan. Lo primero que hay que desenmascarar es la seudosalud que pretende saberlo todo. Tendrá que entrarle como hijo, como padre, como hermano, tendrá que jugar todos los papeles, tendrá que pasar toda la lista, hasta que todos queden al desnudo. Es obvio que desde la distancia no podemos reconocernos. Al final de una confesión, no queda otra que reconocerse a uno mismo y así reconocer al otro y poder reconocer a la familia tal como es. Sólo desnudos podrán reconocerse.

En una familia, los enfermos se utilizan como justificación. Para muchas es de gran importancia que haya alguien que esté mal, porque es quien encubre toda la problemática interna. Es la justificación de toda una conflictiva. Entonces, son importantísimas la honestidad y una apertura clara. Lo primero es quitar la distracción que la familia tiene en depositar toda su energía de enfermedad en uno solo de ellos.

Es muy difícil para un hijo poder negar el juicio de un padre. Por esto el terapeuta es muy importante, porque él es el que está afuera, pero con su involucramiento aclarará cada uno de los roles. Que nadie culpe a nadie. Que nadie pretenda ser otro. La terapia familiar consiste en reubicar al padre como padre, a la madre como madre y a los hijos como tales. Recordarle a cada uno cuál es su sitio y papel. Y si hay alguien enfermo, pues hay que tratarlo.

Uno de los objetivos de la terapia familiar es que lo de la familia se trate en familia. Tienen que estar presentes todos, pues no es posible trabajar con la ausencia. La ausencia crea fantasías. Al reunir al núcleo familiar invitamos a que se terminen las fantasías, pero como éstas no se acaban, la presencia de la familia sirve para aclararlas.

Notas de musicoterapia

Desde que comencé a trabajar, la música ha sido parte integrante del proceso. La música y el canto son importantes formas de expresión del ser humano. Por eso la música es un gran apoyo en la psicoterapia. La música tiene sonido, ritmo, armonía y melodía. Pronto percibí que esos mismos elementos forman parte del ser humano. El sonido es la vibración de la vida. El ritmo tiene que ver con la acción. La armonía con la carga racional. La melodía con la carga afectiva.

Así como hay música que carece de ritmo, la hay que tiene una hiperactividad rítmica. Cada una de ellas tiene una repercusión en el ser, sea a nivel cultural o emocional.

En músicas como las primitivas de Africa, lo más importante es el ritmo. Las percusiones tienen una repercusión en el cuerpo. Tienen un contenido erótico e instintivo. La percusión no se intelectualiza sino que se actúa: hay que moverse. Los ritmos de las tumbas y tambores no permiten la introyección, sino que invitan a la explosión. Lo que uno desea es mover la pelvis, un movimiento erótico.

Las canciones infantiles tienen como objetivo recalcar la melodía. En el rock, en cambio, hay una ausencia melódica, un trabajo más rítmico y armónico; por un lado intelectual, por el otro activo. Es, por decirlo de una manera, más esquizoide, más dividido.

También es importante observar que cuando nos identificamos con cierto tipo de música es porque hay una respuesta. La música representará aquello que psicológica y emocionalmente nos produce empatía, y nos orientará hacia ciertos contenidos, tanto afectivos como racionales.

Los corridos mexicanos expresan dolor de manera catártica. La música romántica escoge un campo expresivo menos pasional, más instintivo, tiene contenidos diferentes que la música ranchera, que trata más de la pasión y el abandono, con un mensaje verbal más agresivo. En cambio, la música de protesta es más racional, con mensajes dirigidos más a la razón que a la emoción.

Podemos clasificar la música en tres categorías: la que evoca, la que provoca y la que desboca. Ciertas músicas nos invitan al desenfreno, a la catarsis, a la movilización, a salirnos de nosotros mismos. Algunas músicas están repletas de contenidos emocionales, nos activan memorias afectivas y provocan el surgimiento de emociones internas. Hay una música más pura que evoca estados superiores.

La música que provoca y la que desboca tienen que ver con estados internos relacionados con la pasión, con el odio. El desenfreno puede llevar a una catarsis total, liberadora. Esto lo hacían mucho los sufíes, trataban de ir más allá del cansancio, que no es más que una resistencia superyoica. La grandeza de la danza es que evoca la entrega. Los ritmos llegan a sobrepasar la rigidez, a desbocarse completamente, y en este desbocamiento se puede bailar horas y horas y entrar en estados alterados de conciencia, donde no hay fronteras para el tiempo, donde no hay medida. Así se logra una transformación del ser, se da permiso al desenfreno y al caos. Este es un desbocamiento sano, que permite al ser humano la expresión total de su cuerpo.

El baile en sí tiene muchos contenidos psicológicos. Bailar en una sesión de grupo es muy importante. Aparentemente es fácil hacerlo, pero al ser humano le cuesta mucho trabajo ser espontáneo, y cuando trata de serlo, pone cara de inteligente y de bobo; quiere ser perfeccionista, educado y correcto, pero no logra más que representar su represión y rigidez. La espontaneidad no se ciñe a los ritmos preestablecidos.

En el baile se puede trabajar con el contacto, la confianza, la capacidad de dejarse llevar y de guiar, se puede trabajar con la ternura. Un disc jockey de éxito es un músico terapeuta, más aún si trabaja con el poderoso estímulo del alcohol. El maneja a los clientes como quiere. Los desenfrena, desboca, desinhibe, para acabar llevándolos a la ternura, al acercamiento, al contacto entre personas. En una buena fiesta, un buen disc jockey es aquel que puede sacar todos los elementos que satisfacen a los seres humanos.

En una sesión, si estoy trabajando una experiencia dolorosa y hay cuestiones reprimidas, pongo música alusiva a la situación, que invita a la evocación, pues así es más probable que ésta suceda. Si estoy trabajando con la figura paterna y encuentro que hay dificultades para expresar o se está racionalizando, considero bueno utilizar música como apoyo para que suceda lo que estoy provocando. Existe música alusiva a todos los estados emocionales del ser humano, no hay un solo estado emocional que no se evoque en la música o en el canto. Hay música histérica, sosa, agresiva, violenta, sensual, sexual.

Si uno está frente a una resistencia a hablar o a participar, es muy recomendable poner música suave, porque la mera movilización energética en el cuerpo cambia la actitud.

Los reprimidos obviamente tienen una carencia rítmica, no hay ritmo vital, por lo que es estimulante invitarlos a contactarse con el ritmo, que para ellos es saludable.

La depresión es una autoagresión, una agresión volcada contra uno mismo. La depresión es física y no mental. Es como un encerrarse, como un autismo, donde hay hiperactividad racional. Lo que invita a salir de ese estado es una movilización energética, porque donde hay energía no puede haber depresión. Es imposible que en un cuerpo energetizado quepa la depresión, podrá haber tristeza, pero no otra cosa. Sabemos que la depresión tiene un alto contenido de rabia volcada hacia adentro, entonces una invitación al baile, a la catarsis rítmica, será un vomitarse con menos posibilidad de destrucción, con una línea de trabajo y con buenos márgenes de soporte hacia el paciente, por el miedo que tiene. Aparentemente, bailar no tiene un contenido terapéutico, pero frente a las tendencias a la inmovilidad, a la pasividad, lo que hay que buscar es energizar. Eso facilita el trabajo, y la resistencia se trabaja con la acción.

También hay músicas para lo contrario: la histeria. Allí se da un exceso de contenido emocional y hay músicas e instrumentos que facilitan la introyección, que colaboran en el contacto interno. Músicas que evocan la interioridad para sentir, porque el histérico lo único que hace es exagerar la emoción para no sentir, es una insensibilidad escondida como hipersensibilidad emotiva.

Para quienes son muy racionales, es conveniente la música caótica, o si se busca una mayor confrontación, la música sin contenido. No estoy hablando de ponerle una cinta de media hora, sino algo más drástico como unas cuatro horas. Ponerle cuatro horas de las tablas de multiplicar. Algo va a pasar. Luego el silencio y que escuche lo que evoca.

Es como ponerlo frente a un espejo de lo que es la rigidez y la racionalidad. Así se producirá una explosión interna y ésta lo pondrá en contacto con su propia emotividad.

Utilizo mucho la música para trabajar las regresiones. Primero hago una historia musical del paciente. Indago qué música hubo en su infancia y adolescencia. Me informo de sus predilecciones, pues a través de sus gustos puedo informarme qué tipo de música puede servirme de apoyo. En su música puedo ver rasgos patentes de su personalidad, tanto de sus resistencias como de los apoyos de defensa que utiliza. La música apoya tanto la patología como el bienestar. Por eso es muy importante conocer la música de la época en que la madre del paciente estaba embarazada y utilizar ésta para evocar. Lo que busco es acumular la mayor cantidad de estímulos para lograr un levantamiento amnésico. Pues la amnesia es lo que está impidiendo lo que psicoanalíticamente se llama el insight, o sea que es el trono de la resistencia y del mecanismo de defensa que inhibe la capacidad de conectar y de reconocer lo hecho.

Mientras más alternativas tenga como terapeuta, más alternativas le puedo ofrecer al paciente y así aumentar las probabilidades de que él pueda contactar y darse cuenta.

Una flauta puede ayudar a personas muy contenidas. El solo hecho de tocar el instrumento es un manejo de la respiración, lo cual produce una movilización curativa. Dentro de nuestro cuerpo tenemos instrumentos. El corazón es un órgano percutivo, que es lo primero que escuchamos. El corazón es ritmo. Y otro instrumento que tenemos es el aparato respiratorio. Estos instrumentos se pueden trabajar, se pueden utilizar para abrir, sensibilizar o energetizar al paciente.

Es curioso que los metales vayan asociados con las marchas militares, lo cual nos evoca recuerdos asociados con la autoridad. Y así, por ejemplo, cuando en grupos de terapia encuentro un elemento muy rebelde, lo que hago es poner marchas nazis o militares. Y por el solo contenido que tiene el paciente sé que algo va a ocurrir.

Así como hay adicciones hacia ciertas sustancias como el alcohol, hay adicciones musicales. Adicciones que tienen como fin reforzar la patología. Aunque existe la posibilidad de que lo que para uno es evasivo, para otro es terapéutico.

No hay conflicto para una persona sudamericana en bailar. Su cultura le da esa libertad, pero tendrá mucha dificultad en quedarse quieta mientras escucha la música, porque parte de la patología está en la alegría compulsiva. Entonces, para una determinada experiencia cultural, la alegría también tiene un contenido patológico. Pero si pongo música gregoriana, sus estructuras musicales evocarán otras situaciones. Es muy difícil que alguien se pare a bailar música zen o tibetana, pues automáticamente invitan a ciertas evocaciones. Con cada tipo de música hay algo asociado.

Yo busco que la música sea otro apoyo en la terapia. He tenido muy fuertes experiencias personales y con los pacientes. La música es poderosa. He visto meditaciones profundas y estados alterados de conciencia gracias al apoyo musical. Se trata de enseñar al paciente a escuchar, a oír lo que la música está diciendo o evocando. ¡Poderoso es el baile! Poderosa una meditación con el Bolero de Ravel. Poderoso es dejarse ir y escuchar plenamente, con todos los sentidos, la Novena de Beethoven, dejándose llevar por la grandiosidad del acercamiento, la entrega y el reconocimiento del padre. Pero para eso hay que enseñar a escuchar, porque uno no escucha. Y el no escuchar es una resistencia. Es muy fácil decir esto no me gusta, pero lo importante es analizar por qué no me gusta, lo cual tendrá casi siempre contenidos de resistencia.

Una cosa tan simple como poner, en una relajación profunda o en un momento de mucha apertura en un grupo, el sonido del corazón intrauterino, poder escuchar el corazón de un bebé, que tenemos guardado en la memoria, no sólo cerebral sino celular. Memoria que está en todo nuestro cuerpo, historia y memoria, en cada milímetro de nuestra piel, que también recoge la vibración del sonido. Pues no oímos sólo a través del oído, aunque sea el primer sentido que se nos desarrolla intrauterinamente. El bebé recoge los estados emocionales de la madre a través del ritmo.

La depresión tiene un ritmo específico, la angustia tiene otro ritmo. Los estados de paz tienen ritmo propio. La angustia tiene una hiperactividad cardiovascular, así como también una situación de mucha alegría. En el tono de voz va la calidad melódica y también la carga agresiva. Nosotros reconocemos a la perfección lo que escuchamos. Así, lo que digo corresponde al contenido racional, pero cómo lo digo porta el contenido emocional. Estos dos contenidos se van a manifestar en acción. Estos corresponden a los tres centros... Así el niño percibe los estados emocionales a través del sonido, y si mal no recuerdo, el parto es un ritmo. He observado que los pacientes que nacen por cesárea tienen una personalidad menos definida que aquellos que provienen de un parto natural.

Lo primero fue el verbo. El verbo es la palabra. La palabra es sonido. Tiene muchísima importancia la palabra y su contenido. Es muy fácil decir una palabra, pero uno tiende a despersonalizar las palabras y esto hace que no tengan todos los contenidos requeridos para que el mensaje llegue y sea congruente. Existe la hipnosis y el consejo. Pero el acercamiento de los grandes hombres ha sido a través del sonido de su palabra. Todo el trabajo psicoterapéutico está basado en la palabra. Y el ser humano no se escucha lo que dice, no atiende a cómo lo dice. Entonces hay una disociación de la palabra y el sonido, de la palabra y el ritmo, de la palabra y la expresión. No se trata de tener una buena dicción, se trata de involucrarnos, de estar presentes en la palabra misma, en la palabra nuestra. Y ése es el único medio para que nuestro mensaje sea recibido. Pero si no sabemos hablar debidamente, es decir, con la emoción en la palabra, con la razón en la palabra, no hay comunicación.

Una cosa tan simple y sencilla, pero tan difícil de llevar a cabo como es la comunicación, depende de tres cosas: lo que digo, cómo lo digo y cuál es mi expresión corporal. Entonces lo que digo es la palabra en sí y ésta se dirige a la razón. Cómo digo las cosas va dirigido al corazón. Y mi acción ratificará lo anterior y evidenciará la congruencia de lo que presento, de esta manera el mensaje podrá ser recibido. Si yo simplemente racionalizo la palabra, deshumanizo el mensaje. Debo sensibilizar lo que quiero decir... Y en este punto se hacen claras muchas cosas, porque todas las cosas nos acontecieron en su mayoría a través de la palabra. El padre decía una cosa, pero hacía otra: sentía algo y expresaba algo diferente. Es así como se elaboran los dobles mensajes. El niño percibe perfectamente porque se utilizan canales distintos. La palabra irá directo a la razón, pero será filtrada por la emoción. El mensaje será congruente si están implicados los tres centros, de lo contrario será disociativo. El mensaje no llegará, trátese de una agresión o de algo afectuoso. Pero todo el mundo recibe los mensajes y de ahí viene el mal entendimiento.

Otra cosa que recomiendo es grabar al paciente, sobre todo cuando está en situación supuestamente de conflicto. Y luego hago que se escuche a sí mismo y que se vuelva a escuchar. Es importantísimo verse reflejado en cómo uno distorsiona lo que quiere decir, cómo se es contradictorio. Nadie se escucha, nadie escucha el tono de su voz. No escuchamos esos tonos que no corresponden a la edad, al sexo, al contenido de lo que se quiere decir. Todo lo cual es un problema de conciencia de ritmo, de ir y venir, porque el ritmo es dar y recibir, el ritmo es esperar.

La música nos ayuda, nos apoya, facilita el ser permisivos. Creo que a mayor cantidad de alternativas va a haber más posibilidad de solucionar. La música es una manifestación tan antigua como la primera expresión del ser humano, que es el movimiento. Vale la pena buscar el apoyo de la música, porque la inmovilidad del diván no es muy gratificante. Yo creo que el ser humano no es horizontal sino vertical, de ahí nace la geometría de la espontaneidad. El diván está bien, pero no todo en la vida es horizontal ni vertical. Son todas las posturas las que hacen un ser humano. Yo estoy convencido que cada emoción tiene un sonido, un ritmo, una melodía y una armonía específica. Lo que se busca es empatizar con la emoción o con lo que representa esa emoción. Lo que uno hace es cambiar de ritmo, cambiar de melodía, porque para sintonizar se requiere presencia, actitud. Sintonizar es estar con otro, pero, obvio, desde mi empatía.

Asomarse a lo somático

En mi trabajo cotidiano en la clínica he visto diferentes tipos de psicosomatización. La gran mayoría de mis pacientes manifiestan psicosomatizaciones de manera muy inconsciente. Por esta razón, no le doy a eso excesiva importancia, más bien considero lo que el paciente no quiere asumir de manera directa. Por lo general un terapeuta al hacerse consciente de una psicosomatización la pone en evidencia de inmediato. Lo que yo hago es no darle más importancia de la que le está dando el paciente. Para mí la psicosomatización es una autoayuda orgánica, un intento de autorregulación corporal, está tratando de buscar una salida a algo psicológico que el dueño del cuerpo no quiere o no puede percibir. La concibo de esta manera, pero sin descuidar que es también una forma de distracción; la enfermedad desvía la atención hacia uno o varios síntomas y oculta las causas de su origen. Entonces, por un lado regula y por otro distrae. Hay que considerar los dos aspectos. Yo prefiero irme a trabajar directo al núcleo, a lo que está movilizando la somatización, cuidándome de no darle más argumentos y elementos que el paciente pueda utilizar. Al no darle una atención central, el paciente tiene que buscar una salida y comenzar a hablarlo y confrontarlo. No me refiero a lo que él ya tiene consciente sino a lo que está sumergido en el inconsciente. En psicoterapia, por lo regular, no trabajo sobre lo que el paciente me está diciendo sino en las manifestaciones inconscientes. Casi no tomo en cuenta el consciente, porque eso está ahí, es real, pero trabajo los dobles mensajes, el contenido psicológico y el inconsciente. Así, al no darle mucha importancia, le estoy tendiendo una trampa, como en el juego de los mantras que sirve para distraer al que habla mucho y le hace fijar su atención en algo y así se puede abrir la conciencia.

Existen diferentes maneras de somatizar, acorde a los diversos estilos de personalidad. La más fuerte es la represión, que es un mecanismo de contracción, de retención y de autoagresión. En lugar de exteriorizar lo que se siente y así ponerse en evidencia, se cierran las válvulas y se conduce la explosión hacia adentro. Suena muy diferente decir que estoy enfermo físicamente a decir que yo odio. La enfermedad es la disculpa que actúa protegiendo al paciente. Expresar el odio es una manifestación de transparencia, de conciencia y de responsabilidad. En la represión veo el odio volcado sobre sí.

Otro tipo de somatización tiene que ver con la manipulación. Esta se ve mucho en la neurosis conversiva, en la histeria. Aquí no es que exista la enfermedad en sí, sino que es inventada para un fin, sea que aparezca como parálisis, ceguera o una lesión cuyo objetivo es la agresión a través de la manipulación.

Se da también la hipocondría. Esta no repercute en algún órgano o sistema, no está centralizada, y si no hay un foco de atención localizable, éste carece de contenido. No existe la enfermedad, se presentan síntomas inventados. Tal como sucede en los embarazos psicológicos. Se puede lograr una invención de síntomas que producen todo un cuadro susceptible de diagnóstico médico. Y aquí le entra a uno la duda, pues se cuestiona la proveniencia de tanta información que logra que el médico muerda el anzuelo. Yo tuve una paciente que se embarazaba así y logró que tres ginecólogos detectaran el corazón y los movimientos del feto; pero después de una semana conmigo salió desinflada. Uno se pregunta de dónde llega tal caudal de información que es como si el organismo supiera cómo debe fallar un órgano.

He observado también ciertos problemas derivados de haber nacido por cesárea. En la generalidad de éstos he visto una actitud física pasiva y un cuerpo a la defensiva. También tienen un sistema inmunológico más débil y somatizan en alto grado. Es indudable que en el parto se da una gran aportación por parte de la madre. En esta separación se da una estimulación que va desde el cráneo, el hipotálamo, toda la columna vertebral... como si en las contracciones se estuviera pasando toda una información que va a ser muy importante para el sistema defensivo y que incide en la postura que se debe tener frente a la vida... da capacidad de lucha. Muchos de los que han pasado por un proceso de cesárea tienen tendencias masoquistas, tienden a formas pasivas u orales de demanda. Dan la sensación de haber quedado en estado intrauterino. Poseen un cuerpo con estilo de feto, exceso de estómago y caminan hacia adelante como quien va buscando algo de teta. Son receptivos, pero en una actitud muy pasiva, lo cual también hace a la persona más receptiva a enfermedades y vulnerable a infecciones.

También quiero mencionar lo que ocurre con quienes tienen malformaciones, sea genéticas o adquiridas en la temprana infancia. Estos pacientes forman su carácter dependiendo de la calidad del trato que recibieron por parte de sus padres. Muchos de ellos son personas que se van a dedicar al sufrimiento, como si desde el nacimiento llevaran la etiqueta de víctimas. Incluso sienten culpa de haber nacido y ser una carga para sus padres; sienten un fuerte sentimiento interno de vergüenza y se sienten responsables de las penas de la familia. Pero todo esto no lo abren, lo mantienen en secreto, tienen una actitud de sobrecomprensión. Además, la sobreprotección hacia estos individuos los daña. Si son hemipléjicos los vuelven "cuadripléjicos", si son tuertos los vuelven ciegos psicológicos. No es tanto por la mala educación en la rehabilitación del miembro dañado, sino en el significado psicológico que se le da a éste. He observado en sesiones de grupo, cuando hay una persona con lesión, hay otra que se siente la presidenta de la sociedad para la protección de hemipléjicos y se acercan, incluso sin que la persona lesionada se dé cuenta, se da una buena comunicación inmediata. Esto en apariencia podría ser una buena actitud, pero a medida que se desarrollan los ejercicios, se hace patente que le gusta tener una actitud de desvaloración y de paralizar aún más al sujeto. Con su generosidad, lo que hace es culpabilizar. No estoy en contra de la ayuda a estas personas, pero el último que la recibe es el más dañado, el hijo o la hija. He visto cómo el padre o la madre de un lisiado terminan de presidente de alguna sociedad de ayuda, pero en un plan no sano, sino como tratando de sacar algún provecho de la enfermedad. Todo esto es muy importante de revisar, porque no he visto un padre de una persona así que sea capaz de decirle a su hijo el peso, la carga y la desgracia que para él significa toda la situación. De lo que se trata es de poder decir la verdad, de aclarar cómo se sienten todos. La mayoría de las familias con un problema de éstos están destruidas. Y como no se habla de la disociación que se produce, al enfermo no le queda otra que enfermarse más, pues tal es la demanda. Por esto lo que hago en estos casos, es permitir que todos hablen, que haya la libertad de soltar toda la agresión contenida. Porque tener un hijo así es un calvario que hay que soportar de la mejor manera, y ésta es no excusarnos en la enfermedad del enfermo.

Existen otras enfermedades psicosomáticas que dependen del carácter, del sistema defensivo que se ha adquirido para sobrevivir en la vida. Yo considero que la estrategia del mecanismo de defensa es una somatización en sí. Cada mecanismo de defensa tiene una diferente estructura muscular. Los masoquistas, por ejemplo, tienen una específica área muscular de protección. Todo esto cubre desde la minimización del músculo en la contracción que impide la expansión, el desarrollo natural del cuerpo, hasta el exceso y sobredesarrollo. Esto también es claro en los obesos; no es que tengan un problema en la tiroides, sino que su estructura defensiva es la que está construyendo su coraza caracterológica, su corporalidad. De ahí partió Reich, y todos aquellos que dedican su atención al cuerpo saben que los músculos tienen memoria, que la piel tiene memoria, que los huesos también la tienen. La coraza protectora que nos impide sentir, obviamente nos la hemos puesto en el cuerpo. Sin tener muchos conocimientos, una persona puede deducir que un ceño fruncido de manera constante está diciendo algo, o el mantener contraída la mandíbula. Y esto nos indica el lugar, el área, y si seguimos la secuencia muscular encontraremos la repercusión de un músculo a otro. Cada estructura de carácter se apoya en una muscular. Sabemos cuál es la estructura muscular y corporal de los sádicos; tienen una caja torácica específica, etc. Los tímidos, los autistas, todos tienen una estructura corporal dada. Los histéricos no tienen la espalda contraída, ellos sacan el pecho, levantan la frente, echan los hombros hacia atrás en una actitud de estar dispuestos a dar el brinco.

El cuerpo manifiesta la interioridad. Hay enfermedades acordes a cada mecanismo de defensa. Los rígidos tienen problemas con la artritis, el estreñimiento, alergias, cefaleas, dolores de espalda, problemas dermáticos. Los histéricos sufren cegueras, parálisis, hemiplejias, cáncer de seno y del útero, problemas de la piel, miopía. El llamado carácter mercantilista sufre de migrañas, del mal de los ejecutivos que es la enfermedad de la eficiencia, de problemas oculares, de infartos, problemas orales, lesiones musculares, úlceras, gastritis, cefaleas. El carácter que posee los mecanismos de defensa de la introyección sufre de hipocondría, diarreas, enfermedades neurodermatológicas, afecciones del aparato reproductor y, como son personas contenidas, tienden a la malformación del prognatismo, o sea, la rabia manifestada de la mandíbula. Por su parte, el tipo de carácter anal sufre de las vías respiratorias, del estómago, le dan migrañas, tiene problemas con las cuerdas vocales, tiene una baja sudoración, por lo que evidencia resequedad corporal. Los caracteres de tipo proyectivo también padecen de las vías respiratorias, tienden a la faringitis, la bronquitis, el enfisema, sufren de la columna vertebral, sus problemas a nivel de expresión repercuten en su garganta y su exceso de contención emocional los hace proclives a las úlceras y a las hemorroides, pues si no hay apertura en la boca no la hay en el ano. En los de carácter oral se presentan problemas de tipo odontológico, así como problemas oculares que tienen que ver con la distorsión de lo que ven, sea de cerca o de lejos; también son propensos a la gota, a la gastritis y al exceso de colesterol. Aquellos que tienden a implotarse, a explotar hacia adentro, sufren severas neurodermatitis, y tienen riesgo de derrames cerebrales. El tipo de carácter de los gordos es dado a la hipertensión arterial, a problemas de tiroides, espalda, colesterol y gota. A este último tipo se le consideró hasta hace poco como muy sano, hasta que se observó su obsesión de estar sano, pero no de forma natural sino muy superyoica; se mostraron sádicos al contactar consigo mismos, pues la obesidad sirve para mantener una insensibilidad interior, por eso es muy difícil ver a estas personas de mal humor, ya que tienden a ser serviciales y agradar a los demás; como están en todos lados, garantizan no estar en ninguno.

Con esta breve revisión de las distintas formas de somatización, observamos que cada uno de los pacientes, por su estructura de personalidad, tiene una forma específica de somatizar. Así como hay enfermedades muy generalizadas, en algunos encontraremos enfermedades muy individualizadas. A veces los pacientes insisten tanto en un órgano que terminan dañándolo. Por eso creo que los distintos órganos corresponden a funciones psicológicas. Cada órgano tiene una actitud y viceversa. El miedo, por ejemplo, produce una secreción de adrenalina. Las cárceles huelen a adrenalina, a miedo... Las personas con mucha rabia se quedan sin dientes; como son contenidas y se pasan el día rumiando, son clientes para el odontólogo. Existen problemáticas garantizadas para ciertas especialidades médicas, pero también hay que ver el otro lado de la cuestión y que en cada especialidad médica está proyectada la problemática que está tratando.

* * *

¡HAGASE SEÑOR TU VOLUNTAD!

Permitámonos un tiempo para reflexionar sobre nosotros mismos, a solas. Perdamos por un instante la distracción externa, percibamos con sinceridad qué es nuestra vida. No compare, no futurice y no compense, vea simplemente lo que hoy tiene en sus manos. Si hoy muriese, ¿estaría satisfecho?

Esta breve reflexión usualmente la minimizamos, no porque le tengamos miedo a la muerte, sino por el miedo a aceptar nuestra frustración vigente. No es fácil ver con claridad que esto lo hemos repetido toda la vida: huir.

Yo tengo muy presente que soy responsable física, emocional y económicamente de mí mismo, incluso después de muerto. Soy responsable de mí, de mis enfermedades y de mi sepultura. Tengo que ver dónde voy a quedar. Nadie tiene la obligación de pagar por mis huesos, de comprar mi tumba o de cubrir los gastos de una enfermedad mía larga y costosa. Es mi enfermedad, es mi muerte. Y pondré las flores sobre mi sepulcro, si las quiero. Tocarán los mariachis. No hay que dejarle el muerto a nadie, hay que tener previsto todo. Y esto no es cuestión de necrofilia, de fascinación con la muerte. No, es una responsabilidad, una culminación, una forma de darle gracias a la vida. Porque el que vivió fui yo. Y el vivir incluye el morir. Cuando mueres, todo lo tuyo es tuyo y tú lo repartes como quieres. Aquí también estamos hablando de dinero e incluso de las misas, si eres creyente. Hay que ser responsables de todo y hay que abrir esta expectativa a los pacientes, porque es pretensión nuestra que reconozcan todos y cada uno de los instantes de su vida. Y hay un instante llamado muerte. Y a la muerte hay que hacerla presente. Hay que saber que nadie es eterno, que no hay que postergar la existencia. Tenemos que recordar hacia dónde vamos. Entre más neguemos la muerte, más negaremos la vida. Entre mayor sea la incapacidad ante la vida, más se negará la muerte. Y la mejor preparación para la muerte es la conciencia de vivir, teniendo presente que vamos a morir y que postergar es un mal negocio, que decir mañana es casarse con el futuro y que esas nupcias equivalen a suicidarse en el presente. Porque si no hay conciencia no se puede llegar a la muerte lo suficientemente vivo como para poder entregársele.

La vida es entrega. La pareja es entrega. Los hijos son entrega. La amistad es entrega. El trabajo es entrega. La muerte es entrega.

Y la muerte se hizo: ¡Hágase Señor Tu voluntad!

Epílogo

Testimonio y cuento de MIGUEL ANGEL
Psiquiatra del penal

Fue en el año 1991, cuando llegué al sitio que sería de trascendencia para mi persona, donde tendría lugar el "encuentro".

Venía de una formación como psiquiatra, de estar y haber convivido con los locos y la locura. De haber visto esa locura fuera de mí, ajena a mí. De haber estado en lugares donde el ser humano se muestra tal cual es, sin juicios ni prejuicios, exhibiendo lo que es, sin vergüenza alguna. Venía de los hospitales psiquiátricos.

En esos lugares me informé, me formé y me deformé. Allí donde el involucramiento con el loco es un concepto inexistente, donde se da el modelo médico en su máxima expresión. Modelo en el que me refugié y me sigo refugiando.

Creía que eso era todo... Después: formación en psicoanálisis, interpretar la interpretación de lo interpretado. Más alejamiento, mayor congelamiento emocional. Prohibido involucrarse con y en el paciente; aquello llamado profesionalismo no lo permitía; aunque dentro de mí corrían emociones que no permitía expresar, algo como las aguas que siguen corriendo por debajo de un río congelado.

"¡Vaya, ya lo sé!", era lo que ingenuamente pensaba, por lo que ahora: a curar personas.

Con esa actitud soberbia llegué al penal, sin ni siquiera imaginar lo que encontraría.

"Dr. Velasco, entre los internos hay un doctor muy bueno y con mucha experiencia. Ha estado en muchos lugares de Europa (primera sacudida) y usted podría aprender mucho de él (¿qué? ¿qué?)".

Fue lo primero que supe de Guillermo. Me lo dijo una mujer, la licenciada Castillo, que fue quien propició y fomentó el inicio de la relación.

¿Qué tenía Guillermo? No lo sé, pero me gustaba estar con él, aun sin entender lo que hacía o cómo lo hacía. Surgió un gusto especial que se fue convirtiendo en necesidad. Cada vez más acercamiento y de manera más continua. Ya nadie podría detener lo que me pasaría: el inicio de mi transformación. Sentía pequeños temblores por todo el cuerpo, aunque yo hacía todo lo posible para que no se notaran. Existían sensaciones extrañas que no sabría explicar. Guillermo, sin hablarlo, tocó mi alma y me enseñó que la tenía.

La percepción de cuanto me rodeaba era distinta. Me sentía perplejo y confundido. No entendía nada. Sin embargo, lo que Guillermo hacía daba resultado.

Los conceptos que tenía estaban cambiando de contenido. Resultaba que lo bueno era malo y viceversa. Cada vez existía más dolor en mí, dolor por el cuestionamiento de mí como persona. Lo que yo creía que era no era y cuando estaba seguro que era así, tampoco. Entre más hacía, más me alejaba, y si no hacía, tampoco llegaba. ¡Qué infierno, Dios mío! Las cosas eran cada vez más incoherentes y mi angustia aumentaba.

En una ocasión, Guillermo me dijo: "Empieza por leer esto". Era *El Reino de la Felicidad* de Krishnamurti.

"Por lo tanto debéis tener este cuerpo absolutamente limpio, hermoso y radiante, de modo que Él, que está en vuestro corazón, pueda manifestarse por medio de sus expresiones físicas...".

"¡Esto es el colmo", pensaba, ya que desde hacía tiempo había dejado de creer en Él, sentía que Él me había abandonado desde años atrás.

Toda esta información, vivencias y emociones no estaban en mi marco de referencia y cada vez se resquebrajaban más. Y no sólo éstos, sino la totalidad de mí mismo.

Sentía que se estaba dando la apertura. Allí estaba el desdoblamiento y, con Guillermo al lado mío, el descenso se había iniciado. Oírlo hablar me deleitaba, pero no era el hablar, era su presencia y dulzura. Aunque gritón, era suave en su trato.

En más de una ocasión quise aprender con él de la manera a la que yo estaba acostumbrado. Obviamente ya no se podía, no había necesidad de ello. Bastaba con estar y observarlo, él mismo era la enseñanza. La enseñanza y la información para mí. Me di cuenta con esto que uno mismo bastaba para que los demás tuvieran un cambio, y que para esto el compromiso personal era necesario. No podía estar afuera. Como él dice: "Hay que mojarse el culo".

Todo lo anterior quedó comprobado con mi asistencia al taller anual del doctor Claudio Naranjo. Por fin iba a conocer a tan nombrado maestro, a su maestro. Desde que descendió del auto de Ilse, acompañado por Cherif, el hombre me impresionó. Qué paz, qué espiritualidad la que emanaba y qué sencillez. Lo que en congresos de psiquiatría era imposible, acercarse a los "afamados", en esa ocasión fue posible cuantas veces me atreví, sin problema alguno. Y no sé qué sucedió, porque cuando quise preguntarle algo lo olvidé, y sólo me senté a su lado y enmudecí.

Durante el taller no entendí lo que pasaba. No estaba acostumbrado a ese tipo de eventos; sin embargo, al finalizar no me sentía el mismo, algo había sucedido, no sé qué. Lo podría comparar con un bautizo, donde la Gracia lo toca a uno.

Pero lo que más me impactó vino después: el doctor Naranjo visitó a Guillermo y éste lo recibió con una gratitud, con un amor y una veneración como nunca había visto en todos los años de mi vida.

Comprendí que expresarse emocionalmente no era tan peligroso como creía y que ya no podía perderme más esas bondades de la vida. Y decidí hacerlo. Lo cual, para ser sincero, no ha sido nada fácil para mí. Pero lo sigo intentando y logrando, aunque con frecuencia se me dificulta enormemente.

¡Qué transformación tan rara! ¡Qué trabajo me cuesta ser persona! Ha sido un proceso doloroso. No es fácil abrir un corazón que hace muchos años se cerró. Hoy estoy convencido, plenamente, que lo único que tengo para ayudar a las personas es mi persona misma y que me debo involucrar, esto es claro. Y que salga lo que tenga que salir, también lo sé. Y que cuesta muchísimo trabajo.

Ha sido algo fácilmente palpable para mí. Sin darme cuenta, los cambios han sucedido, aun a pesar mío. ¡Es una magia!

MEMONIO MEMORIAS

Al regresar del trabajo, cuando la Madre Luna se prestaba a cobijarnos con su manto blanco, todos nos reuníamos alrededor del fuego.

Memonio Memorias llegaba sentado en su burro blanco, se sentaba con nosotros y empezaba a contar que:

"Una vez Dios me susurró al oído cómo se había formado el mundo. Me dijo que los mares eran salados porque estaban formados de lágrimas. Lágrimas de una princesa bellísima que viajaba por el universo, de estrella en estrella, y que estas lágrimas habían perforado una bola de polvo galáctico que había fabricado para jugar y hacer que su tristeza desapareciera y que cuando...".

Memonio Memorias contaba éstas y muchas historias más. El tiempo no pasaba cuando estábamos con él y nos envolvía su magia. Nadie sabía de dónde venía Memonio Memorias, ni exactamente quién era. Algunos decían que era un mago hechicero, otros que había descendido de una estrella lejana. Otros aseguraban que era el mismísimo Dios.

Un día Memonio Memorias no regresó. Tan sólo llegó su burro blanco. Se cuenta que emprendió un largo viaje por el fondo del mar, que se fue a vivir nuevas experiencias y que si algún día lo volvemos a encontrar, en cualquier lugar del universo, nos seguirá contando sus historias.

Post Scriptum, Post Vitam

Apenas cuatro meses han transcurrido desde la redacción de lo anterior y el Dr. Borja —nuestro muy querido Memo— ya no está entre nosotros. Ya lo sospechaba él entonces (aunque creo que ni él ni sus amigos imaginábamos que su fin sobrevendría tan pronto) y por ello se puede decir que sus palabras, estimuladas por la miseria que lo rodeaba, satisficieron también un interés por "liquidar sus asuntos" y dejarnos un regalo de despedida.

Pronto, después de derrumbarse vertiginosamente su salud, murió Memo en Tepoztlán en la medianoche del 10 al 11 de julio pasado, rodeado de algunos de sus amigos más cercanos. Fue luego velado por ellos en compañía de sus dos hermanos (con *El Libro Tibetano de los Muertos* y mariachis) antes de ser incinerado. Murió en conformidad con lo que había sido su vida, e imagino que está aún más en paz ahora. Pueda él, que decía:

"Quien no conoce a Dios, a cualquier buey se le hinca" retozar en Sus prados.

Claudio Naranjo
Madrid, agosto de 1995

**Este libro se terminó de imprimir
en mayo de 1998, en los
talleres de Imprenta Andros**